Joseph Joffo

Un sac de billes

Adaptation de **Jérôme Lechevalier**
Illustrations de **Laura Scarpa**

Member of CISQ Federation

CERTIFIED MANAGEMENT SYSTEM
ISO 9001

The design, production and distribution of educational materials
for the CIDEB (Black Cat) brand are managed in compliance
with the rules of Quality Management System which fulfils
the requirements of the standard ISO 9001

Secrétariat d'édition : Chiara Blau
Rédaction : Manuela Antoniazzi
Conception graphique : Erika Barabino, Daniele Pagliari
Mise en page : Annalisa Possenti
Recherche iconographique : Alice Graziotin

Direction artistique : Nadia Maestri

Crédits photographiques :
Shutterstock; iStockphoto; Dreamstime; Eric Fougere / VIP
Images / Corbis / Getty Images:4; Art Media / Print Collector /
Getty Images: 5; United Archives GmbH / Alamy Stock Photo:
58; Raymond PIAT / Gamma-Rapho / Getty Images: 59; Ulf
Andersen / Getty Images: 60; Jérôme Lechevalier: 62, 63;
Col / WebPhoto: 65, 66; Hemis / Alamy Stock Photo: 86d;
Eileen Darby / The LIFE Images Collection / Getty Images: 87.

L'interview de Joseph Joffo a été realisée par Jérôme
Lechevalier.

Pour toute suggestion ou information, la rédaction peut
être contactée à l'adresse suivante :

info@blackcat-cideb.com
blackcat-cideb.com

Imprimé en Italie par Litoprint, Gênes.

Sommaire

n. piste   LE TEXTE EST ENTIÈREMENT ENREGISTRÉ.

Joseph Joffo

Joseph Joffo naît en 1931 à Paris. Il grandit dans un quartier populaire où vivent de nombreuses familles juives, comme la sienne. Ses parents tiennent un salon de coiffure et ont sept enfants. Il est le plus jeune.

En 1942, persécutés par les nazis, Joseph et son frère Maurice, de deux ans son aîné, s'enfuient dans le sud de la France. Arrêtés par la Gestapo[1] à Nice en 1943, ils échappent de justesse à la déportation. La même année, leur père aussi est arrêté, mais il est déporté à Auschwitz d'où il ne reviendra jamais.

Après la guerre, à l'âge de quatorze ans, Joseph Joffo travaille avec ses frères dans le salon de coiffure familial. Dans les années soixante, leur salon du très chic XVIe arrondissement est l'un des plus réputés de Paris.

En 1972, il se blesse aux sports d'hiver, et pour passer le temps, il écrit ses souvenirs de la guerre. Quatorze maisons d'édition refusent son manuscrit. Mais un jeune éditeur, Jean-Claude Lattès, le publie en 1973. *Un sac de billes* connaît un succès immédiat.

---

1. la Gestapo : la police politique de l'Allemagne nazie.

Son second roman, *Anna et son orchestre* (1975), raconte la jeunesse de sa mère, violoniste, qui traverse toute l'Europe pour fuir les pogromes[2]. Suivent *Baby-foot* (1979), *Simon et l'enfant* (1981) et encore *Agates et Calots* (1995).

Depuis sa première publication, *Un sac de billes* ne cesse d'être étudié dans les collèges.

Aujour-d'hui, le livre s'est vendu à plus de vingt-cinq millions d'exemplaires à travers le monde, traduit dans pratiquement toutes les langues.

Joseph Joffo meurt en 2018, à l'âge de 87 ans.

---

2. un pogrome : une attaque contre la communauté juive aux temps de l'Empire russe.

---

1 Dis si les affirmations sont vraies (V) ou fausses (F).

		V	F
1.	Joseph Joffo naît à Nice en 1931.	☐	☐
2.	Maurice est plus âgé que Joseph.	☐	☐
3.	Le père de Joseph Joffo échappe à la déportation.	☐	☐
4.	Les frères Joffo tiennent l'un des restaurants les plus réputés de Paris.	☐	☐
5.	C'est à cause d'une blessure aux sports d'hiver que Joffo écrit son premier livre.	☐	☐
6.	Le manuscrit d'*Un sac de billes* est accepté par le premier éditeur qui le reçoit.	☐	☐
7.	La mère de Joseph Joffo s'appelle Anna.	☐	☐
8.	Les collégiens étudient *Un sac de billes* en classe.	☐	☐

Carte de France pendant la Seconde Guerre mondiale

LONDRES

Mer du Nord

AMSTERDAM

PAYS-BAS

Dunkerque

BRUXELLES

Pas de Calais

Lille

BELGIQUE

ALLEMAGN

LUX.
LUXEMBOURG

Seine

PARIS

Meuse

Moselle

Rhin

Strasbourg

Zone occupée
Occupation militaire allemande
(À partir de novembre 1942, Zone Nord)

Marne

Seine

Saône

Loire

Loire

Doubs

SUISSE

Ligne de démarcation

Montluçon

Vichy

Lyon

Rumilly

Aix-les-Bains

Golfe de Gascogne

Gironde

Zone libre
(À partir de novembre 1942, Zone Sud)

Occupation italienne
(novembre 1942-septembre 1943)

ITALIE

Dordogne

Bordeaux

Lot

Rhône

Menton
Nice
Cannes

MONACO

Dax

Hagetmau

Garonne

Marseille

Pau

Pyrénées

ESPAGNE

ANDORRE

Mer Méditerranée

Histoire de France (1939-1945)

2-3 septembre 1939 : la France et la Grande-Bretagne déclarent la guerre à l'Allemagne, suite à l'invasion de la Pologne.

Mai 1940 : invasion allemande des Pays-Bas, de la Belgique et du Luxembourg.

14 juin 1940 : les Allemands entrent dans Paris.

17 juin 1940 : le maréchal Pétain demande de signer un armistice avec l'Allemagne.

18 juin 1940 : le général de Gaulle appelle les militaires français à le rejoindre à Londres pour continuer le combat.

22 juin 1940 : l'armistice franco-allemand fixe une ligne de démarcation qui sépare la France en deux avec, au nord, la zone « occupée » par les Allemands, et au sud, la zone « libre » où siège le gouvernement de Pétain à Vichy.

18 octobre 1940 : publication au Journal Officiel du « Statut des Juifs ». Une pancarte doit signaler les magasins juifs.

14 mai 1941 : première rafle de Juifs étrangers organisée par la préfecture de police de Paris.

27 mars 1942 : premier convoi de Juifs pour Auschwitz, départ depuis Compiègne.

Juin 1942 : obligation pour les Juifs de porter l'étoile jaune.

16 et 17 juillet 1942 : rafle du Vél' d'Hiv (rafle du Vélodrome d'Hiver) à Paris : 13 152 Juifs, dont 4 115 enfants, sont parqués dans le « vélodrome d'hiver », puis déportés dans les camps d'extermination nazis.

8 novembre 1942 : débarquement des Alliés en Afrique du Nord.

11 novembre 1942 : la zone « libre » est à son tour occupée par les Allemands.

16 février 1943 : création du S.T.O., le Service de Travail Obligatoire qui envoie les Français travailler en Allemagne.

6 juin 1944 : débarquement allié en Normandie.

15 août 1944 : débarquement allié en Provence.

25 août 1944 : libération de Paris.

8 mai 1945 : capitulation de l'Allemagne.

1 Associe chaque mot à l'image correspondante.

des bottes   une pancarte   une raie   une araignée   une ardoise
une crosse de fusil   une botte de paille   une lucarne   un elfe
un maillot de corps   une canne   un jerrycan

2 Associe chaque mot à sa définition.

1. S.S.
2. Radio Londres
3. Alliés
4. Fritz
5. milice

6. dénonciateur
7. Résistance
8. maquis
9. F.F.I.
10. collabo

a ☐ émission française de résistance émise depuis Londres

b ☐ ensemble des forces résistantes

c ☐ personne qui signale les Juifs et les résistants aux Allemands

d ☐ organisation paramilitaire sous les ordres de Vichy

e ☐ ensemble des nations qui luttent contre l'Allemagne

f ☐ partisan du maréchal Pétain qui collabore avec les Allemands

g ☐ soldats allemands, appellation péjorative

h ☐ policiers militaires nazis

i ☐ lieu retiré dans la nature où se réunissent les résistants

j ☐ Forces Françaises de l'Intérieur, ensemble des mouvements et réseaux clandestins qui luttent contre les Allemands et contre le régime de Vichy durant la Seconde Guerre mondiale.

Porte de Clignancourt 1941

piste 02

a Porte de Clignancourt en 1941, c'est un coin rêvé pour des enfants comme nous. Mon frère Maurice, douze ans, et moi, Joseph, dix ans, nous traînons[1] toujours quand nous rentrons de l'école. Nous nous arrêtons au bord du trottoir pour jouer aux billes et puis, on escalade les poubelles. Ce quartier du XVIIIe arrondissement de Paris est habité par de nombreux Juifs. Ils ont fui les pogromes de l'Est et ils ont traversé toute l'Europe à pied. Tout comme nos parents. Eux, ils tiennent un salon de coiffure. D'ailleurs, en ce moment, c'est l'heure de pointe : j'aperçois à travers la vitrine Albert et Henri, nos grands frères, qui sont chacun occupés avec un client.

– On rentre tout de suite ? demande Maurice.

---

1. traîner : se promener sans but, perdre son temps.

Je vais répondre quand je vois arriver deux grands hommes vêtus de noir, avec des ceinturons et de grandes bottes qui brillent.

– S.S., murmure Maurice.

– Je suis sûr qu'ils viennent pour se faire couper les cheveux ! je dis.

Alors, on se colle tous les deux contre la vitrine. Les Allemands rentrent dans le salon. On éclate de rire. Nos corps cachent la petite pancarte sur laquelle il est écrit en lettres noires sur fond jaune :

Soudain dans le salon, c'est le silence. Au milieu des clients juifs, deux S.S. têtes de mort[3] attendent sagement de confier leur nuque[4] à mon père juif ou à mes frères juifs. On y est peut-être allé un peu fort : introduire ces deux bandits au milieu de la colonie juive, c'est vraiment trop !

– Monsieur s'il vous plaît, dit Henri à l'un des deux Allemands.

Le S.S. s'installe sur le siège, sa casquette sur les genoux.

– Les cheveux bien courts ? demande Henri.

– Oui, la raie à droite s'il vous plaît.

– Quoi ? Un Allemand qui parle français ! En plus, il a moins d'accent que beaucoup de gens du quartier, réponds Henri.

– À vous, s'il vous plaît, dit mon père à l'autre Allemand.

Dans la glace, le S.S. de papa aperçoit nos têtes qui dépassent.

– Ils sont à vous les petits garçons ? demande-t-il.

---

2. _Jüdisches Geschäft_ : magasin juif (en allemand).
3. une tête de mort : un crâne, représenté sur la casquette des SS.
4. la nuque : la partie arrière du cou.

– Oui, ce sont des voyous[5], dit papa avec un sourire.

Le S.S. sourit tendrement.

– Ah, dit-il, la guerre est terrible. Le problème, ce sont les Juifs.

– Vous croyez ? demande papa.

– Oui, j'en suis sûr.

Papa donne les derniers coups de ciseaux, puis soulève la serviette et présente le miroir. Le S.S. sourit, satisfait.

– Très bien, merci.

Les deux Allemands s'approchent de la caisse pour régler. Papa rend la monnaie.

---

5. des voyous: des petites canailles, ici, dans un sens affectueux.

– Vous êtes contents de votre coupe de cheveux ? demande-t-il.

– Très bien, excellent.

– Eh bien, dit mon père, je dois vous dire que tous les gens que vous voyez ici sont des Juifs.

– Je voulais parler des Juifs riches, dit le S.S. avant de sortir.

Le soir venu, papa entre dans notre chambre.

– Histoire ! annonce-t-il.

Formidable ! Il va encore nous parler de notre grand-père.

– Il était une fois Jacob Joffo, père de douze garçons. Il habite dans un village au sud d'Odessa. Sa vie est heureuse jusqu'aux jours où commencent les pogromes. Les soldats russes brûlent les maisons des paysans juifs. Mais votre grand-père n'est pas un homme qui laisse ses amis se faire massacrer comme ça. Le soir, il s'habille en paysan russe et s'en va seul dans la nuit en direction des casernes[6]. Il se cache dans l'ombre et quand il aperçoit trois ou quatre soldats, il les assomme[7]. Ensuite, il chantonne un air yiddish[8] et rentre chez lui.

Maurice et moi sommes, comme à chaque fois, fascinés.

---

6. **une caserne :** un bâtiment où sont logés les militaires.

7. **assommer :** frapper quelqu'un avec un coup qui lui fait perdre connaissance.

8. **yiddish :** relatif à la langue des Juifs d'Europe de l'Est, le yiddish.

– Mais les massacres s'amplifient et Jacob Joffo comprend que ses expéditions punitives ne servent plus à rien. Alors, il s'enfuit avec toute sa famille. C'est l'histoire de femmes et d'enfants terrifiés au milieu d'un paysage sombre et glacial…

Nous écoutons, la bouche ouverte.

– Jusqu'au jour, reprend papa, où nous franchissons la dernière frontière et que le ciel s'éclaircit. C'est un pays où sur les écoles et sur les mairies, il est écrit…

– Liberté, Égalité, Fraternité, je dis.

– Oui, Joseph. Et tant que ces mots sont écrits là, nous sommes tranquilles.

– On ne va avoir des problèmes maintenant que les Allemands sont ici ? demande Maurice.

– Non, pas en France. Jamais ! affirme papa. Bonne nuit les enfants !

Puis papa referme la porte. Nous sommes dans le noir, on est bien sous les couvertures. C'est une nuit comme toutes les nuits, une nuit de 1941.

RÉFLEXION

1. **C'est la guerre, mais Joseph et Maurice vivent l'insouciance de leur enfance. Pourtant l'arrivée de ces deux S.S. rappelle les malheurs vécus par leurs parents. Classe les expressions ou les phrases suivant qu'elles expriment le bonheur (B) ou le malheur (M).**

   a ☐ Les pogromes.

   b ☐ On éclate de rire.

   c ☐ Un paysage sombre et glacial.

   d ☐ On est bien sous les couvertures.

Après la lecture • page 68
Valeurs et sentiments • page 94

L'étoile jaune

1942. Ce matin, Maurice et moi, nous avons tous les deux une étoile jaune cousue[1] sur notre veste. Dessus, il y a quatre lettres : « JUIF ». Quand nous rentrons dans la cour de l'école, mon copain Zérati fixe ma poitrine, les yeux grands ouverts.

piste 03

– Eh, les mecs, vous avez vu Joffo ? s'exclame-t-il émerveillé. Quelle chance il a d'avoir une médaille !

Un cercle se forme autour de moi.

– T'es un youpin[2] ? demande un grand.

Difficile de dire non quand c'est écrit sur sa veste.

– C'est à cause des Juifs qu'il y a la guerre, continue-t-il.

– T'es idiot, toi, c'est la faute de Jo s'il y a la guerre ? intervient Zérati.

Juif. Mais qu'est-ce que cela veut dire d'abord ? Je sens monter la colère, je ne comprends pas ce que l'on me reproche.

---

1. cousu: attaché avec du fil grâce à une aiguille.

2. un youpin: mot raciste et injurieux pour nommer un Juif.

– Vous avez vu le nez de Joffo ? demande le grand.

Dans le quartier, il y a une grande affiche qui représente une grosse araignée avec une tête d'homme horrible : des yeux fendus[3], des oreilles en chou-fleur, une bouche avec une grosse lèvre et un nez très long et crochu[4]. En bas de l'affiche, il est écrit : « Le Juif cherche à posséder le monde ». Mais moi, je ne suis pas une araignée et je n'ai pas une tête pareille, Dieu merci. Je suis blond, avec les yeux bleus et un nez comme tout le monde.

– Qu'est-ce qu'il a mon nez ? C'est pas le même qu'hier ?

Le grand ne sait pas quoi répondre et c'est alors que la cloche se met à sonner.

En première heure, c'est la leçon de géographie. Comme chaque matin, M. Boulier promène son regard sur nous, mais il ne s'arrête pas sur moi. C'est un autre qu'il choisit pour l'interroger. J'ai comme une mauvaise impression : peut-être que je ne suis plus un élève comme les autres.

– Prenez vos cahiers. Inscrivez la date et le titre : « La vallée du Rhône ».

Comme les autres, j'obéis, mais je suis quand même perturbé parce qu'il ne m'a pas interrogé… M. Boulier a une manie : le silence. En cas de bruit inopportun, c'est la punition directe. Je veux savoir si j'existe encore ou si je compte pour du beurre[5]. Alors, je pousse mon ardoise et elle tombe. Badaboum ! M. Boulier s'arrête soudain d'écrire au tableau, se retourne, regarde l'ardoise par terre, puis moi. Son regard devient vide. Lentement, il prend la grande règle sur son bureau, il montre une ligne sur la carte de France, et il dit :

– La vallée du Rhône sépare le Massif Central des montagnes plus jeunes.

---

3. des yeux fendus : des yeux dont l'ouverture est fine et longue.
4. crochu : recourbé en forme de bec d'aigle.
5. compter pour du beurre : ne pas être important, être inexistant.

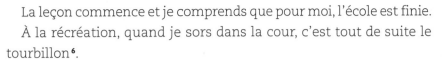

La leçon commence et je comprends que pour moi, l'école est finie.

À la récréation, quand je sors dans la cour, c'est tout de suite le tourbillon[6].

– Youpin ! Youpin ! Youpin !

Ils se donnent la main et dansent autour de moi. Un garçon me pousse, puis un autre. Je m'élance pour casser la chaîne. Plus loin, Maurice se bat au milieu des hurlements. J'attrape un garçon au hasard et je donne des coups de poing. Puis, j'ai l'impression que toute l'école me tombe dessus. Le coup de sifflet du surveillant arrête la bagarre.

– Non mais oh ! Voulez-vous arrêter, oui ? dit-il.

Mon oreille est énorme, mon tablier est déchiré et le genou de Maurice est en sang. Nous n'avons pas le temps de parler, il faut vite retourner en classe. Devant moi, au-dessus du tableau noir, il y a la tête du maréchal Pétain avec une phrase suivie de sa signature : « Je tiens mes promesses, même celles des autres ». À qui a-t-il promis de me faire porter une étoile ? Et pourquoi les autres veulent-ils me casser la figure ?

Onze heure et demi. Maurice m'attend. Sans dire un mot, nous remontons la rue.

– Jo !

C'est Zérati qui court derrière moi. Il tient un sac fermé par une ficelle.

– Je te fais l'échange, dit-il.

– Contre quoi ?

– Contre ton étoile.

– D'accord !

J'arrache mon étoile et la lui tend. Les yeux de Zérati brillent. Mon étoile pour un sac de billes. C'est ma première belle affaire.

---

6. un tourbillon : un mouvement rapide et circulaire.

Quand il découvre l'état dans lequel nous rentrons, papa dit :

– Pas d'école cet après-midi. Je dois vous parler.

Alors, il commence un long monologue :

– Vous connaissez l'histoire de votre grand-père. Aujourd'hui, je vous raconte la mienne. Voilà : j'ai sept ans et je vis en Russie. Le grand chef du pays, le tsar, envoie des gens dans les villages ramasser les petits garçons pour en faire des soldats. Un jour mon père me parle comme…

Sa voix devient plus grave puis il poursuit :

– Comme je le fais à mon tour ce soir. Donc, il me dit : « Mon fils, veux-tu être soldat du tsar ? ». Je réponds : « Non ! ». « Alors tu vas partir, tu peux te débrouiller, tu n'es pas bête. » Alors, je pars et je fais tous les métiers. J'apprends celui de coiffeur. Et puis un jour, j'arrive à Paris et je rencontre votre mère qui a un peu la même histoire.

Il s'arrête net et sa voix devient moins claire encore.

– Vous savez pourquoi je vous raconte tout ça ?

– Oui, dit Maurice, c'est parce que nous aussi on va partir.

– Oui, les garçons, vous allez partir, c'est votre tour.

Je sens une boule monter dans ma gorge mais je ne pleure pas.

– Vous allez rejoindre Henri et Albert qui sont en zone libre, à Menton. Ce soir, vous avez un train pour aller à Dax. Ensuite, vous allez dans un village qui s'appelle Hagetmau. Là, il y a des gens qui font passer la ligne de démarcation. Une fois de l'autre côté, vous êtes en France libre.

Papa s'arrête un instant.

– Enfin, et ceci est le plus important, vous êtes juifs, mais ne l'avouez[7] jamais. Vous entendez : JAMAIS !

Ce soir-là, à la gare d'Austerlitz, il n'y a pas beaucoup de trains mais les quais sont pleins de monde. Qui sont ces gens ? Des Juifs aussi ?

– Voie sept ! dit Maurice. Vite ! On va essayer d'avoir des places.

Mais les compartiments du train sont tous remplis et les gens occupent tout le couloir. On trouve tout de même un petit coin par terre. On s'endort, assis sur nos musettes[8].

---

7. avouer : reconnaître quelque chose comme vrai, l'admettre.
8. une musette : un sac en toile porté en bandoulière.

RÉFLEXION

1. **L'obligation de porter l'étoile jaune pour les Juifs est une page noire de l'histoire de France. Quels sont les mots qui peuvent qualifier le chapitre ? Tu peux t'aider d'un dictionnaire, si tu veux.**

*sécurité injustice vacances solidarité discrimination
fuite secret mode méfiance égalité*

Après la lecture • page 70
Valeurs et sentiments • page 94

CHAPITRE • 3

Le voyage vers la zone libre

Quand je me réveille, c'est déjà le matin et le train entre en gare de Dax. Je suis surpris parce que le couloir et les compartiments sont presque vides.

piste 04

– Les gens ont sauté en marche, me dit Maurice. Soudain je vois une dizaine de gendarmes allemands qui traversent la voie et qui viennent vers nous. Il y a aussi des civils[1] en imperméable.

– Rentre dans le compartiment, dit Maurice.

Dedans, il y a un prêtre et une gentille grand-mère qui semble dormir.

– Halt !

Le cri vient de dehors. Une dizaine de personnes courent à travers les voies. Un civil donne des ordres en allemand et siffle.

1. **un civil :** un policier ou un militaire qui ne porte pas l'uniforme.

Un coup de feu résonne. Un homme lève les bras et deux soldats l'entraînent à toute vitesse à coups de crosse de fusil. Sur le quai, un jeune couple désespéré marche entre deux S.S. Les Allemands bloquent les portes du train.

– Monsieur le Curé, dis-je, nous n'avons pas de papiers.

Il sourit et se penche à mon oreille :

– Si tu as l'air aussi effrayé, les Allemands vont s'en apercevoir. Mettez-vous près de moi.

Nous nous serrons contre lui.

– Papiers, dit un Allemand qui entre dans notre compartiment.

Je prends un sandwich dans ma musette et Maurice se donne un air d'innocence. La grand-mère tend sa carte d'identité.

– C'est tout ? demande-t-il. Sortez dans le couloir !

Elle sort et deux gendarmes l'encadrent[2]. Puis le prêtre présente ses papiers. L'Allemand regarde la photo et compare avec l'original.

– J'ai un peu maigri, dit le curé, mais c'est bien moi.

– La guerre… dit notre contrôleur. Mais les curés ne mangent pas beaucoup.

– Dans mon cas, c'est une grosse erreur.

L'Allemand rit et tend la main vers moi.

– Les enfants sont avec moi, dit le curé qui me pince la joue.

L'Allemand rit encore, rend ses papiers au curé et quitte notre compartiment. Mes genoux se mettent à trembler. Le curé se lève.

– On va pouvoir descendre maintenant.

– On vous remercie, dis-je.

– Comment vous appelez-vous et où allez-vous ?

– Je suis Joseph Martin, et lui c'est Maurice Martin.

– Nous allons rejoindre nos parents qui sont malades, ajoute Maurice.

---

2. encadrer : se tenir de chaque côté d'une personne pour la garder.

Nous achetons deux billets d'autocar pour Hagetmau. Quand nous arrivons dans le village, les rues sont désertes parce que c'est l'heure du déjeuner. Le café-restaurant est rempli de familles qui viennent de la ville. Ce sont des Juifs en fuite, comme nous, qui attendent pour passer la frontière.

– On va essayer de passer ce soir, dit Maurice quand nous ressortons du restaurant. Ce n'est pas la peine de traîner ici. Renseignons-nous pour savoir où trouver un passeur[3] et combien il prend.

Nous croisons un garçon d'une quinzaine d'années qui fait des livraisons à vélo. Nous nous approchons de lui.

– On voudrait un petit renseignement, lui dit-on.

---

3. un passeur: une personne qui fait passer clandestinement une frontière.

– Je vous le donne avant que vous ne le demandiez ! dit-il avec un grand sourire. Vous voulez savoir où se trouve le passeur ?

– Oui, c'est ça.

– Eh bien, c'est le père Bédard à la sortie du village. Mais je vous préviens, c'est cinq mille francs par personne.

Je blêmis[4] et Maurice aussi. Le garçon se met à rire.

– Mais si ça vous arrange, je peux vous faire passer pour cinq cent francs. Je m'appelle Raymond.

Nous rions de soulagement. Sympathique ce Raymond !

– Alors rendez-vous ce soir à dix heures en bas du pont.

À l'heure dite, Raymond arrive. Les mains dans les poches, il siffle. Les Allemands sont de l'autre côté du pont.

– Alors, on y va ? demande Raymond.

Je me mets en marche et j'essaie de ne faire aucun bruit.

– Ne t'inquiète pas mon pote[5], ce n'est pas la peine de faire le Sioux. Tu marches derrière moi et tu ne t'occupes pas du reste.

Nous avançons dans la forêt. Je sue à grosses gouttes sous mon manteau et j'ai l'impression de faire un bruit infernal. Hitler lui-même doit nous entendre dans son appartement berlinois.

---

4. blêmir : devenir très pâle, blanc, de visage.
5. un pote : un ami (en langage familier).

– On est encore loin ? demande doucement Maurice.

– On doit juste contourner la clairière⁶.

Le bois s'éclaircit devant nous.

– Vous voyez l'allée formée par les arbres ? Vous la suivez, puis vous passez le fossé et il y a une ferme. Vous pouvez entrer, le fermier est au courant.

– Parce que… C'est la zone libre là-bas ? demande Maurice.

– On y est déjà ! dit Raymond qui rigole. On a déjà passé la ligne.

Et moi qui me l'imaginait comme un mur avec des mitrailleuses et des soldats qui éclairent la nuit avec des projecteurs !

À la ferme, un homme nous accueille avec sa grosse voix :

– Vous y êtes les petits, vous pouvez dormir dans la grange⁷.

Nous grimpons sur une botte de paille. La tension est retombée. Quelle journée ! Je m'endors d'un coup. Mais une heure, peut-être deux heures plus tard, je rouvre les yeux brusquement. D'autres personnes sont arrivées. Mais surtout, mon frère n'est plus là. Je glisse la main dans ma poche et je trouve un papier que je lis sous la lucarne éclairée par la lune :

---

6. une clairière: un lieu dégagé, sans arbres, au milieu d'une forêt.
7. une grange: un bâtiment agricole où l'on entrepose la paille.

> Je vais revenir, ne dis rien à personne.

Je me rendors un peu soulagé. Au petit matin, une voix me réveille.

– Tu dors ?

C'est Maurice. Il pose son doigt sur ma bouche.

– Chut ! Je vais t'expliquer…

J'ai envie de l'engueuler[8], mais c'est difficile sans faire de bruit.

– J'ai refait le trajet en sens inverse, rigole-t-il doucement. J'ai repassé huit fois la ligne et j'ai ramené quarante personnes. J'ai gagné vingt mille francs.

– Et si tu t'étais fait prendre ?

– Aucun danger !

– Mais c'est pas un peu dégueulasse[9] de faire passer les gens pour de l'argent ?

– Je n'ai forcé personne. Pour cinq cents francs au lieu de cinq mille, je n'ai volé personne.

---

8. engueuler : injurier quelqu'un pour lui faire des reproches.
9. dégueulasse : sale, repoussant moralement.

RÉFLEXION

1. **Maurice a repassé huit fois la ligne, a ramené quarante personnes et a gagné vingt mille francs. Joseph se demande si « c'est pas un peu dégueulasse de faire passer les gens pour de l'argent ». Coche l'affirmation qui te semble la plus correcte et justifie ton choix.**

a ☐ Maurice n'a volé personne, il a même fait un prix économique.

b ☐ Maurice a profité de la détresse des gens pour s'enrichir.

Après la lecture • page 72
Valeurs et sentiments • page 94

Quatre mois à Menton

Encore des trains. Dans une gare j'entends des gendarmes discuter : eux aussi ont l'ordre d'arrêter les Juifs et de les envoyer dans des camps. À Marseille, nous passons une journée magnifique : promenade, le port, la mer et cinéma. Quelle belle ville ! La guerre a fait de nous des elfes dont personne ne se soucie[1] et qui peuvent aller et venir où ils veulent. Le soir dans la gare Saint-Charles, nous rusons[2] pour éviter les gendarmes qui contrôlent tout le monde. Ouf, nous leur échappons au dernier moment…

Menton est une ville charmante avec des arcades, des églises italiennes, des vieux escaliers, du linge pendu aux fenêtres. Du

---

1. **se soucier :** s'intéresser à quelqu'un, faire attention à lui.
2. **ruser :** employer un stratagème, une astuce.

port, on peut apercevoir les montagnes qui plongent dans la Méditerranée. Les grands palaces et l'hôpital sont occupés par l'état-major italien et les quelques soldats se reposent au soleil. La vie est douce dans l'appartement de Menton. Henri et Albert partent tôt le matin pour coiffer dans un salon. Maurice et moi, après le petit déjeuner, nous jouons au ballon sur la plage. Les ballons sont plus que rares à l'époque, c'est la logeuse[3] qui nous le prête. Ensuite, nous faisons les courses pour le déjeuner, je suis le spécialiste des pâtes. L'après-midi, nous partons à la découverte. Nous nous faisons aussi quelques copains. Pour aider nos deux frères, Maurice trouve un travail chez le boulanger et moi je donne un coup de main[4] dans une ferme plus haut dans la montagne. Je dors sur place.

Un lundi matin, je rentre à la maison. Quand je vois la tête de mes frères, je devine tout de suite que quelque chose vient d'arriver.

– On a reçu de mauvaises nouvelles, dit Henri qui montre une lettre tamponnée avec des aigles.

– Des parents ? dis-je inquiet.

– Il y a eu une rafle[5] à Paris et les parents y ont échappé de justesse. Alors ils ont tout quitté et après un long voyage épuisant, ils ont franchi la ligne de démarcation. Seulement, à Pau, ils ont été pris par les autorités de Vichy. Ils sont enfermés dans un camp.

Je prends la lettre et la lis. Ils ne se plaignent pas. Mon père ajoute à la fin : « Si vous rencontrez les voyous, mettez-les à l'école, c'est très important, je compte sur vous. »

– Qu'est-ce qu'il faut faire ? je demande.

– Eh bien, j'y vais, dit Henri qui prend sa valise.

---

3. un logeur : une personne qui loue un logement meublé.
4. donner un coup de main : apporter une aide à quelqu'un.
5. une rafle : une arrestation massive de personnes.

– Mais si tu vas là-bas, ils vont te prendre aussi.

– Il y a toujours quelque chose à tenter, dit Albert avec un pauvre sourire.

– Je reviens le plus vite possible, dit Henri. Pendant ce temps Albert continue au salon et dès cet après-midi, il vous inscrit à l'école. D'accord ?

Maurice et moi ne le sommes pas trop pourtant, mais il n'est pas question de refuser.

En fait, l'école n'est pas si dure. Sans m'en apercevoir, je travaille même assez bien. À la récréation, Maurice et moi, nous sommes imbattables aux billes. Mais les jours passent et Henri n'est toujours pas rentré.

– Si nous n'avons pas de nouvelles d'Henri, dit Albert, j'y vais à mon tour… Si je ne suis pas rentré au bout de dix jours, vous allez dans le Massif Central où se cache notre grande sœur.

C'est à ce moment-là qu'on entend une clef dans la serrure et qu'Henri apparaît.

– Ils sont libres, annonce-t-il le visage rayonnant.

Albert lui prépare une omelette tandis qu'il raconte :

– J'arrive à Pau et, dans un café, je discute avec un des gendarmes qui garde le camp. Je lui raconte que mes parents ont été arrêtés par erreur et qu'ils ne sont pas juifs. Quand il apprend que je suis coiffeur, il me demande de lui couper les cheveux. Je lui fais alors la plus belle coupe de sa vie et il m'arrange un entretien avec le colonel qui commande le camp. « Henri Joffo, me dit le colonel, soyez bref et n'oubliez pas qu'ici vous risquez votre liberté. » « Monsieur le directeur, je suis Français, j'ai fait la guerre à Dunkerque et personne dans ma famille n'est juif. Ma mère est catholique, son nom de jeune fille est

Markoff, elle est apparentée avec la famille impériale russe. » « Et votre père ? » « Il est Français. Vous savez que tous les Juifs ont été privés de la nationalité française par les autorités allemandes. S'il est Français, c'est qu'il n'est pas Juif. Vous pouvez téléphoner à Paris, à la préfecture. »

Maurice, Albert et moi écoutons avec attention.

– À ce moment-là, continue Henri, je me dis qu'il ne va pas risquer d'attendre des heures de communication. Pourtant le colonel décroche son appareil et demande le service des recherches d'identité de la préfecture de police de Paris. Moi, je fais celui qui est le plus tranquille du monde. Il pose des questions au téléphone et quand il raccroche, il me dit : « Votre père a toujours la nationalité française. Je les fais libérer. »

– Où sont les parents ? demande Maurice.

– Ils sont à Nice. Ils s'installent. Dès qu'ils seront prêts, nous irons les voir.

Les semaines qui suivent se passent entre l'école, les devoirs, les parties de foot et parfois le cinéma le dimanche. Les beaux jours reviennent et nous nous baignons dans la mer.

Mais un soir, deux gendarmes frappent à la porte de la maison.

– Voici deux convocations pour Albert et Henri Joffo. Vous devez partir pour le S.T.O.

Quand les gendarmes repartent, Maurice demande :

– Qu'est-ce que c'est le S.T.O. ?

– Service de Travail Obligatoire, répond Henri. Ça veut dire qu'on va en Allemagne couper les cheveux des Allemands. Enfin, c'est ce qu'ils pensent. Parce que demain, on s'en va tous ensemble.

– Et où on va ?

Albert se tourne vers moi avec l'air de quelqu'un qui va faire une bonne surprise.

– Ça va te plaire, Jo, on part pour Nice.

RÉFLEXION

1. **Pourquoi le colonel donne-t-il l'ordre de faire libérer les parents Joffo ? Relie chaque hypothèse avec sa description, puis discute avec tes camarades de celle qui te semble la plus authentique.**

   1 Retard administratif à la préfecture

   2 Un colonel au grand cœur

   a ☐ La préfecture prévient le colonel que le père Joffo est juif. Mais le dévouement d'Henri émeut le colonel.

   b ☐ La privation de nationalité du père Joffo n'a pas été encore enregistrée. Un oubli est toujours possible.

Après la lecture • page 74
Valeurs et sentiments • page 94

Les deux occupations de Nice

La ville de Nice est occupée par les Italiens. C'est l'été et la guerre semble bien loin : parmi les soldats qui montent la garde sur la place, le fusil à l'épaule, il y en a même un qui tient une mandoline dans sa main libre. Maurice et moi, nous nous entendons bien avec eux : ils nous donnent de l'huile et des cigarettes que nous revendons contre des tomates, du riz et de la farine. Henri et Albert coiffent les dames élégantes dans un salon de luxe et papa et maman se trouvent bien dans le nouvel appartement. Avec la rentrée scolaire, je retrouve les problèmes de géométrie et les cartes de géographie. Une fois par semaine, le directeur nous fait la leçon de chant. Quand il lève les mains comme un chef d'orchestre, nous chantons de grand cœur[1] :

– *Allons, enfants de la patri-ie…*

---

1. de grand cœur : très volontiers, avec plaisir.

Nous savons bien que ce n'est pas une simple leçon de chant.

Le soir à la maison, papa écoute Radio Londres. Les nouvelles ne sont pas du tout les mêmes que celles du journal qui n'arrête pas de proclamer des victoires allemandes. On y apprend que beaucoup d'Allemands sont morts pendant l'hiver à Stalingrad. Le 8 novembre, papa annonce avec joie :

– Les Alliés ont débarqué en Afrique du Nord. C'est le début de la fin pour les Allemands !

Le 10 juillet 1943, trois jours avant les grandes vacances[2], les Alliés débarquent en Sicile. J'ai devant moi un avenir ensoleillé : deux mois et demi de liberté et si tout va bien, je vais faire la prochaine rentrée dans mon école de Paris. En fait, durant l'été, les soldats italiens désertent[3] et un matin, Nice se réveille sans occupants. Le 10 septembre, un train s'arrête en gare et un millier d'Allemands en descendent. Nous sommes tous très inquiets.

– Les Allemands, nous dit Henri, arrêtent tous les Juifs et les enferment à l'hôtel Excelsior. Tous les vendredis, ils les envoient dans des trains spéciaux vers des camps allemands.

– Mes enfants, dit papa, il faut partir ! Henri et Albert vous allez à Aix-les-Bains. Joseph et Maurice, vous allez rejoindre le camp Moisson[4] Nouvelle. Officiellement, c'est une organisation paramilitaire du gouvernement de Vichy, mais en fait, il s'agit d'autre chose.

– Et vous, je demande, qu'est-ce que vous allez faire ?

– Ne vous inquiétez pas, dit papa. Ce n'est pas à un vieux singe que l'on apprend à faire des grimaces[5].

* * *

---

2. **les grandes vacances :** les vacances d'été.

3. **déserter :** quitter l'armée sans autorisation, fuir un engagement militaire.

4. **la moisson :** la récolte des céréales, du blé en particulier.

5. **ce n'est pas à un vieux singe que l'on apprend à faire des grimaces :** proverbe, le père de Joseph sait comment échapper à ceux qui le poursuivent parce qu'il a l'habitude.

– Vous serez bien et… en sécurité ! nous annonce tout de suite Subinagui, le directeur de Moisson Nouvelle.

Les Fritz n'iront certainement pas chercher deux jeunes Juifs dans ce camp pétainiste. Il y a une centaine d'adolescents, nous dormons tous sous des tentes et nous portons un uniforme : short bleu, chemisette et béret. Pendant la journée, Maurice et moi, nous travaillons aux cuisines. Il y a aussi de joyeuses soirées avec chansons et guitares.

Nous discutons avec les fournisseurs de la cuisine, ceux qui arrivent de Nice pour nous apporter le ravitaillement[6], nous apprenons que la guerre continue : elle est terrible en Italie et les Allemands reculent en Russie. Mais les nouvelles qui nous inquiètent le plus tiennent en une formule : « Intensification de la chasse aux Juifs ».

– Jo, me dit Maurice, j'ai parlé avec Subinagui. Si la Gestapo apprend que notre père a un magasin en plein quartier juif de Paris, ils vont nous arrêter.

Je suis si pâle qu'il fait un effort pour sourire.

– Alors voilà notre nouvelle histoire : on habite à Alger, on est venus en vacances en France et on est restés à cause du débarquement.

---

6. le ravitaillement : l'ensemble des courses nécessaires pour nourrir le camp.

Un vendredi, Ferdinand, le bras droit du directeur, profite de la camionnette d'un fournisseur pour aller régler en ville des problèmes de facture. Il nous propose de passer l'après-midi à Nice. Quelle chance ! Maurice et moi montons à l'arrière. Ferdinand est assis à côté du chauffeur.

– Vous connaissez quelqu'un à Nice ? demande-t-il.

– Non ! répond Maurice. On va juste se promener.

En fait, nous voulons savoir ce que font les parents et, avec notre uniforme, nous ne risquons rien.

– On va descendre ici, dit Ferdinand au chauffeur quand nous arrivons en ville.

Puis il nous dit :

– Je vais voir un copain dans cette maison, rue de Russie. Attendez-moi deux minutes, après je vous montre où est le car pour remonter au camp ce soir.

Il rentre dans la maison et la porte se referme derrière lui. Mais les deux minutes sont très vite dépassées. On l'attend, on l'attend, mais toujours rien.

– On va pas passer notre après-midi à l'attendre ! dit Maurice. Je vais voir.

Maurice pousse la porte et entre à son tour. Mais lui non plus ne revient pas. J'attends, j'attends, mais toujours rien. Je n'en peux plus, j'entre à mon tour. Il y a un escalier au fond de la cour et quand je mets les pieds sur les premières marches, un soldat allemand me frappe avec sa mitraillette et me projette au sol. Le cercle noir du canon est à quelques centimètres de mon nez. Il va peut-être me tuer.

– Youpin, dit-il, youpin !

Puis il me jette dans une pièce qu'il referme à clef. Il y a Maurice et Ferdinand.

– C'est ma faute ! dit Ferdinand à voix basse. On est tombé dans une souricière[7]. Je voulais voir des résistants[8] qui font passer les gens en Espagne.

– Mais pourquoi tu veux partir ? je demande.

– Parce que je suis juif, répond-il les yeux pleins de larmes. Mais, vous, vous n'êtes pas juifs, ils vont vous relâcher.

– Ben voyons, murmure Maurice.

Au bout de plusieurs heures, la porte s'ouvre. Ils sont deux maintenant, leur arme sur le ventre.

– Dehors, vite, vite !

Je prends la main de Maurice et nous courrons dans la rue. Deux officiers attendent à côté d'un camion. Nous montons dedans et il démarre[9]. Quand il s'arrête, nous sommes en face de l'hôtel Excelsior, le siège de la Gestapo niçoise.

---

7. une souricière : un piège pour arrêter les gens.
8. un résistant : un membre de la Résistance qui lutte contre l'occupant nazi.
9. démarrer : partir, commencer à rouler.

RÉFLEXION

1. **Le directeur de l'école prend des risques parce qu'il fait chanter la Marseillaise, l'hymne national français. Sers-toi d'Internet pour remettre dans l'ordre le premier couplet.**

   a ☐ Entendez-vous dans les campagnes

   b ☐ Allons, enfants de la patrie,

   c ☐ Contre nous de la tyrannie

   d ☐ Égorger vos fils, vos compagnes.

   e ☐ L'étendard sanglant est levé !

   f ☐ Le jour de gloire est arrivé !

   g ☐ Mugir ces féroces soldats ?

   h ☐ Ils viennent jusque dans vos bras

Après la lecture • page 76
Valeurs et sentiments • page 94

Le siège de la Gestapo

piste 07

l y a un monde fou dans le hall de l'hôtel Excelsior : des gens, des enfants, des valises. Soudain, en haut des escaliers, deux S.S. apparaissent avec un civil qui tient une liste. À chaque fois qu'il prononce un nom, il regarde si quelqu'un se lève, il coche alors la feuille avec son stylo. L'appel est long et peu à peu le hall se vide. Dès que les gens sont nommés, ils sortent par une porte. Un camion doit les conduire à la gare. Puis, un homme en civil descend les escaliers et nous fait signe de monter. J'ai peur. Nous rentrons dans un bureau. Il y a un S.S. et un interprète. Ils commencent par interroger Ferdinand. Comme celui-ci refuse de dire qu'il est juif, le S.S. le frappe. Ferdinand avoue et l'interprète lui tend un ticket vert. Je vais vite savoir ce que signifie le ticket vert.

– À vous deux maintenant, vous êtes deux frères ?

– Oui. Lui c'est Joseph et moi Maurice.

– Et vous êtes juifs.

Ce n'est pas une question, ce type affirme.

– Ah non ! je dis. Alors ça c'est faux !

– On est pas juif, continue Maurice. On vient d'Algérie.

Le S.S. tourne un crayon entre ses mains et Maurice prend de l'assurance. Il leur sert l'histoire toute chaude : papa coiffeur à Alger, l'école, les vacances et le débarquement qui nous empêche de revenir.

– Et vous êtes catholiques ?

– Bien sûr.

– Où avez-vous fait votre communion ?

On n'a pas prévu cette question, mais Maurice répond aussitôt.

– À l'église de la Buffa à Nice.

– Pourquoi pas à Alger ?

– Pour maman, c'était mieux de la faire en France. Elle a un cousin dans la région.

– Eh bien, nous allons vérifier. Pour commencer, vous allez passer la visite médicale pour voir si vous êtes circoncis.

– Qu'est-ce ça veut dire circoncis ? demande Maurice.

À l'étage supérieur, un docteur nous demande de nous déshabiller. Il nous examine.

– Et à part ça vous n'êtes pas juifs !

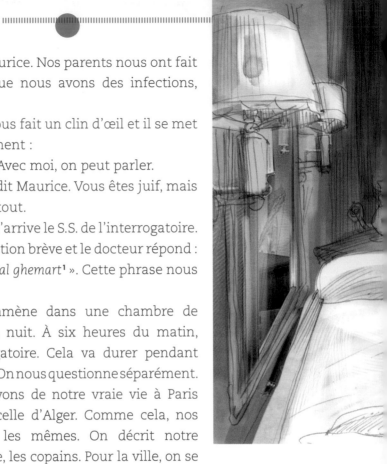

– Non, dit Maurice. Nos parents nous ont fait opérer parce que nous avons des infections, c'est tout.

Le docteur nous fait un clin d'œil et il se met à parler doucement :

– Je suis juif. Avec moi, on peut parler.

– D'accord… dit Maurice. Vous êtes juif, mais pas nous, c'est tout.

C'est alors qu'arrive le S.S. de l'interrogatoire. Il pose une question brève et le docteur répond : « *Das is chirurgical ghemart*[1] ». Cette phrase nous sauve la vie.

On nous emmène dans une chambre de service pour la nuit. À six heures du matin, nouvel interrogatoire. Cela va durer pendant plusieurs jours. On nous questionne séparément. Nous nous servons de notre vraie vie à Paris pour inventer celle d'Alger. Comme cela, nos réponses sont les mêmes. On décrit notre chambre, l'école, les copains. Pour la ville, on se sert de ce qu'on a vu à Marseille. Le sixième jour, on nous envoie aux cuisines pour éplucher[2] les légumes. Tandis que nous descendons vers le hall, nous apercevons Jean, un camarade de Moisson Nouvelle, parmi la foule du grand salon. On se serre les mains.

– Il y a eu une descente[3] de S.S. au camp, raconte-t-il. Vous savez qu'il y avait pas mal de Juifs ? Subinagui les a fait partir en pleine nuit. Moi, je me suis fait attraper sur la route parce que je n'ai pas de papiers.

---

1. *Das is chirurgical ghemart*: *C'est chirurgical* (en allemand) ; la circoncision est due à des raisons médicales.
2. éplucher: enlever la peau d'un légume ou d'un fruit.
3. une descente: une opération surprise de police.

Puis il fait un grand sourire et me frappe sur l'épaule.

– Joffo, nous on s'en fout de ces histoires, on ne va pas partir. On n'est pas juifs.

– Viens ! me dit Maurice. On doit aller aux cuisines.

Je ne sais pas encore que je ne vais jamais revoir Jean. Il est arrivé un vendredi matin. La Gestapo de Nice doit fournir mille deux cents personnes pour chaque convoi. À dix-huit heures, il va entendre son nom sur la liste pour monter dans le train de la mort.

Les jours qui suivent, ils cessent de nous interroger. La nuit, j'entends les cris des gens qui sont torturés dans la cave. Enfin, un matin, on nous interroge de nouveau. Un Allemand en veste

de tweed[4] consulte notre dossier grand ouvert sur le bureau. Je suis vraiment surpris parce qu'ils ont une guerre mondiale sur le dos et ils emploient des hommes et du temps pour essayer de savoir si deux gamins[5] sont juifs ou pas, et cela depuis bientôt plus de trois semaines.

– Toi, le grand, dit l'Allemand, tu sors. Tu dois ramener les certificats de communion. Si dans quarante-huit heures tu ne reviens pas, nous découpons ton frère en morceaux.

Maurice prend tous les risques et retourne à la maison : les parents y sont toujours. Ils ne sortent plus. Puis il se rend dans l'église voisine. Le curé ne lui laisse même pas terminer son histoire. Il lui fait immédiatement les certificats de communion et lui promet d'exposer notre situation à l'Archevêque. Les certificats en poche, Maurice se rend au camp de Moisson Nouvelle. Subinagui lui aussi va téléphoner à l'Archevêque. C'est ainsi que Maurice rentre à temps à l'hôtel Excelsior.

---

4. le tweed : tissu de laine de deux couleurs.
5. un gamin : un enfant.

– Ces papiers sont des faux, dit l'homme à la veste de tweed.

– Vous vous trompez, dit Maurice. D'ailleurs le curé va venir nous voir pour nous emmener.

– Nous vérifierons, sortez.

Quand nous sortons, un employé nous ordonne d'aller chercher des tomates dans le potager. Nous nous y rendons et cueillons quelques tomates. Il y a une porte ouverte qui donne sur la rue. Nous n'avons qu'à faire quelques mètres et c'est la liberté. Nous sommes prêts à nous enfuir quand nous remarquons une ombre. C'est celle d'une mitraillette. Ils nous ont tendu un piège. L'air de rien, on remplit notre panier qu'on va porter aux cuisines. Le chef de l'Excelsior est un monsieur redoutable[6].

Enfin, le curé de la Buffa se rend à l'hôtel. L'Allemand à la veste de tweed ne le reçoit pas. Mais ce curé est un homme têtu. Il va revenir trois jours de suite et patienter assis sur une chaise dans le couloir. Finalement, il est reçu. Il présente nos deux certificats de baptême et une lettre de l'Archevêque qui les garantit. L'homme à la veste de tweed signe notre document de libération. Dehors, le soleil brille et Subinagui nous attend dans sa camionnette.

---

6. redoutable : qu'il faut craindre terriblement.

RÉFLEXION

1. **Sers-toi d'Internet pour compléter le texte et établir quelques différences entre la religion juive et la religion chrétienne.**

Dans la religion juive, on célèbre le culte dans une (**1**) ...., tandis que dans la religion chrétienne, on le célèbre dans une (**2**) .... L'(**3**) .... Testament se rapporte à la religion juive, tandis que le (**4**)................ Testament à la religion chrétienne. Le (**5**)................ est le jour du culte pour les Juifs, le (**6**)................, celui des chrétiens. La (**7**)................ est un rite religieux du judaïsme pratiqué sur les jeunes garçons.

Après la lecture • page 78
Valeurs et sentiments • page 94

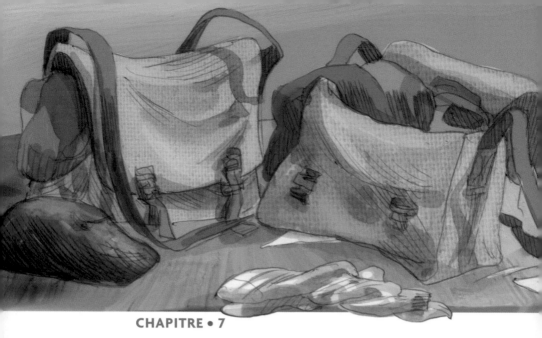

CHAPITRE 7

Hiver 1943-1944

piste 08

L a vie au camp n'est plus la même qu'avant. Depuis la descente effectuée par la Gestapo en pleine nuit, l'atmosphère n'est plus aussi tranquille qu'autrefois. Certains sont partis. On dit aussi qu'un des plus grands s'est engagé dans la milice. Une méfiance s'est installée. Mais même ainsi, ce camp est pour moi le paradis. Bientôt quinze jours que nous sommes revenus de l'Excelsior. Les journées se raccourcissent, nous marchons vers l'hiver. Encore un hiver de guerre.

– Jo et Maurice, réveillez-vous.

C'est Subinagui qui parle tout doucement. Il tient une lampe électrique. Tout dort dans le camp. Tout, sauf nous. Il va falloir reprendre la route, je le sais.

– Vous partez tout de suite. J'ai mis tout ce qu'il vous faut dans vos musettes. Vous allez rejoindre Cannes à travers champ. Là, vous allez prendre un train pour Montluçon et de là vous allez prendre un car pour un petit village où votre sœur vous attend, il s'appelle…

– Qu'est-ce qui se passe ? demande Maurice.

– Ils ont arrêté votre père et l'ont conduit à l'Excelsior. Ils connaissent son nom et ne vont pas tarder à faire le rapprochement avec vous. Votre mère est partie à temps. Il n'y a pas une minute à perdre. Filez[1] !

Nous marchons toute la nuit et nous évitons les fermes pour ne pas faire aboyer les chiens. Encore des trains. Plus on remonte vers le nord et plus il fait froid. J'enfile tous mes slips l'un sur l'autre, mes trois maillots de corps et mes trois paires de chaussettes. À Montluçon, une gentille dame nous héberge pour la nuit, au chaud.

C'est un tout petit village, l'endroit où habite notre sœur Rosette avec son mari. Elle se met à pleurer quand elle apprend que la Gestapo a arrêté papa.

– Vous ne pouvez pas rester ici, ce n'est pas prudent. Il y a un dénonciateur dans le village. La Gestapo vient d'arrêter deux femmes avec un bébé.

– Mais qui a dénoncé ? demande Maurice.

---

1. **filer** : partir en vitesse.

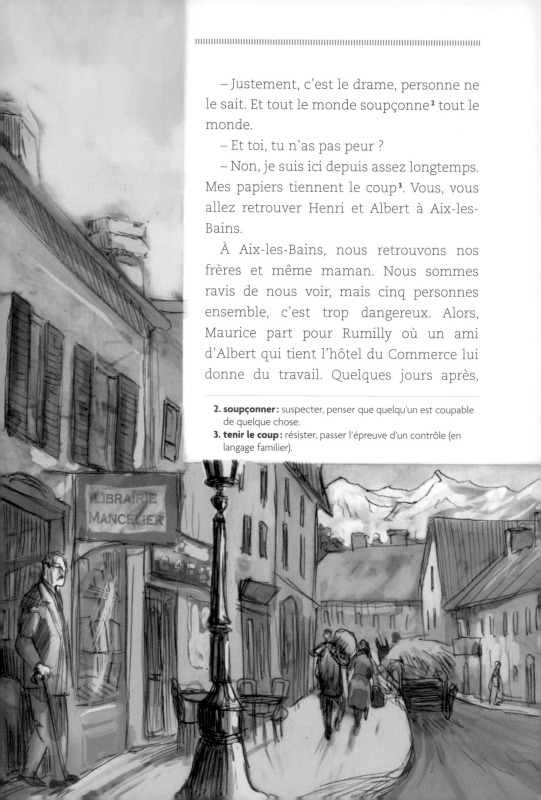

– Justement, c'est le drame, personne ne le sait. Et tout le monde soupçonne[2] tout le monde.

– Et toi, tu n'as pas peur ?

– Non, je suis ici depuis assez longtemps. Mes papiers tiennent le coup[3]. Vous, vous allez retrouver Henri et Albert à Aix-les-Bains.

À Aix-les-Bains, nous retrouvons nos frères et même maman. Nous sommes ravis de nous voir, mais cinq personnes ensemble, c'est trop dangereux. Alors, Maurice part pour Rumilly où un ami d'Albert qui tient l'hôtel du Commerce lui donne du travail. Quelques jours après,

---

2. **soupçonner :** suspecter, penser que quelqu'un est coupable de quelque chose.
3. **tenir le coup :** résister, passer l'épreuve d'un contrôle (en langage familier).

Maurice me trouve une place de coursier[4] pour la librairie Mancelier. Allons-y pour le portrait de la famille Mancelier.

Au centre, c'est le père. Blessé et décoré de la Première Guerre mondiale, il marche mal et s'appuie sur une canne. Ambroise Mancelier admire énormément Pétain. Il y a des photos du maréchal partout dans la maison. Mon patron pense que la collaboration avec Hitler est la seule chance de survie de la France. Ses ennemis personnels sont les Juifs. Moi, il me prend en amitié. Il est vrai que je n'ai rien à voir avec la race maudite, comme chacun sait. Marcelle Mancelier, la patronne, il suffit de la regarder pour ne pas avoir envie de la décrire. Aucun signe distinctif. Grosse travailleuse, elle s'occupe de l'administration de la boutique. Raoul, le fils, est clerc[5] de notaire. Il est pétainiste et affiche ses sentiments pro-allemands de façon très nette. Françoise, la fille, a un peu plus de quatorze ans. Je suis amoureux d'elle, mais je n'ai que douze ans…

---

4. un coursier : une personne chargée des livraisons en ville, ici de distribuer le journal.
5. un clerc : un secrétaire d'un officier public.

Tous les matins, réveil à l'aube. Je saute sur mon vélo et je vais distribuer le journal. Je connais désormais la ville les yeux fermés. Tous les dimanches, je dois accompagner la famille Mancelier à la messe où j'imite les gestes des fidèles. Après le repas familial et les discours politiques du père Mancelier, je fonce [6] vers l'hôtel du Commerce où Maurice m'attend sur le trottoir, les poches remplies de tout ce qu'il a pu voler dans les cuisines. Nous marchons, et il me raconte les nouvelles. Il travaille avec un serveur qui est de la Résistance. Les nouvelles sont bonnes et les Allemands reculent toujours. Un jour, il me montre une montagne lointaine et enneigée :

– Là-bas, c'est le maquis, dit-il. Ils sont nombreux, ils attaquent des camions et des trains.

– Et si on y allait ?

– On est trop jeunes. Ils ne veulent pas nous prendre.

---

6. foncer : aller très vite quelque part (en langage familier).

RÉFLEXION

1. **Dans le village de Rosette, quelqu'un a dénoncé deux femmes avec un bébé. Ce genre de dénonciation, souvent anonyme, s'est fréquemment passé pendant l'Occupation. Les dénonciateurs ont souvent profité de l'arrestation des Juifs ou des résistants pour leur voler leurs biens. C'est ce que l'on appelle de la** *délation.* **Recherche la définition du mot dans le dictionnaire, puis discutes-en avec tes camarades. As-tu déjà eu connaissance d'une scène de délation ?**

Délation : ....
....
....

Après la lecture • page 80
Valeurs et sentiments • page 94

La Libération

Mais pourquoi tous les gens que je rencontre rigolent derrière mon dos ? Y a-t-il un trou à mon pantalon ? Je passe une main et mes doigts rencontrent le poisson de papier qui pend dans mon dos. C'est vrai, nous sommes le 1er avril. Curieux que les gamins aiment autant jouer des tours ! Pourtant, la guerre est toujours là. À Rumilly, les résistants mènent des actions un peu partout. Il y a deux jours, ils ont fait sauter le dépôt de la gare. Le père Mancelier est très inquiet. Je comprends que les Alliés avancent. En tout cas, il fait beau, je me sens joyeux et je pédale comme un diable. Je n'ai plus que quatre journaux pour l'hôtel du Commerce et mon travail du matin est terminé. Je salue les buveurs installés aux tables et le patron qui bavarde. Quand soudain un crissement[1] de freins résonne.

– Regardez !...

---

1. **un crissement** : un bruit aigu.

Mais tous les clients regardent déjà les deux camions qui bloquent les rues et les miliciens qui en descendent. Ce sont les chasseurs de résistants.

– Ils viennent ici, dit le patron.

– Petit…

Je me retourne et regarde l'homme qui vient de parler. C'est un des buveurs, mais je ne l'ai jamais vu. Il vient vers moi avec un sourire et glisse discrètement une enveloppe parmi les journaux dans ma sacoche. Les miliciens poussent la porte.

– M. Jean, murmure l'inconnu, au café du Cheval-Blanc.

– Les mains en l'air ! crie un milicien. Vite !

Un milicien super-énervé prend une carafe et la jette par terre. Le canon de sa mitraillette trace des zigzags.

– Va-t’en gamin ! me dit un autre milicien.

Je sors, la place est remplie d’hommes noirs. Je prends mon vélo et je file au Cheval-Blanc.

– Qu’est-ce que tu fais là ? demande Maryse, la serveuse.

– Je cherche M. Jean, j’ai une commission pour lui.

Elle sursaute, elle est inquiète. Elle me dit de la suivre. Nous traversons les cuisines, la cour et elle frappe bizarrement à la porte du garage. La porte s’ouvre. Il y a là un homme, avec des bottes de chasse.

– C’est le livreur de journaux, lui dit-elle. Il voudrait parler à M. Jean.

– C’est un client du Commerce, dis-je, qui m’a donné une commission pour lui.

– Vas-y ! me dit-elle. C'est lui M. Jean.

Je lui tends l'enveloppe. Il la déchire, lis la lettre, puis m'ébouriffe[2] les cheveux.

– Bien joué petit, dit-il. Si j'ai encore besoin de toi, Maryse te le dira.

Les jours qui suivent, je repasse souvent devant le Cheval-Blanc. Mais Maryse m'ignore superbement. Peut-être qu'ils me trouvent trop jeune pour entrer dans la Résistance. Ou bien, c'est la présence d'Ambroise Mancelier qui les rend terriblement méfiants ? Ce dernier ne sort plus, n'écoute plus la radio. Le 6 juin, c'est le jour du Débarquement. Pour le vieux pétainiste, c'est certainement le plus long de l'année et le plus dramatique : l'ennemi héréditaire souille[3] les plages normandes, une armada de nègres casqués, de Juifs new-yorkais, d'ouvriers anglais communistes se lancent à l'assaut de sa douce France, berceau de l'Occident chrétien. À partir de ce jour-là, ni Mancelier ni sa femme ne descendent plus au magasin. C'est moi qui fait tout à la librairie. Un soir, j'entends un fracas de vitres, je descends en vitesse : on a lancé une pierre dans une fenêtre. Maurice me raconte qu'il a vu des maquisards à l'hôtel du Commerce. Le boulanger passe ses journées sur son toit à surveiller le camp des Allemands avec des jumelles[4].

Le 8 juillet 1944, je suis encore dans mon lit quand une voix m'appelle.

– Jo ! Réveille-toi, bon Dieu ! crie Maurice.

Je passe la tête par la fenêtre.

– Ils sont partis ! dit-il heureux.

Et voilà, c'est aussi simple que cela. Je suis libre, on ne va plus chercher à me tuer. Je descends et nous traversons le village. Il y a des jeunes gens à vélo avec des brassards F.F.I. et des pistolets dans

---

2. ébouriffer : décoiffer avec la main en signe amical.

3. souiller : salir, polluer.

4. les jumelles : un instrument d'optique formé de deux lunettes, pour voir de très loin.

la ceinture. J'en connais quelques-uns. Ce ne sont des résistants de la dernière minute. Et puis, les rues se remplissent et des drapeaux paraissent aux fenêtres : français, anglais, américains. Pour Mancelier, l'heure des comptes est venue. Quand je rentre dans la librairie, il est adossé contre un mur et les villageois le menacent. Le boulanger lui donne des claques[5].

   – Laisse-le ! dis-je. Il m'a caché quand même pendant longtemps. C'était risqué de protéger un Juif.

   – D'accord, dit le boulanger, t'es juif, mais est-ce qu'il le savait, le vieux collabo ?

---

5. **une claque :** un coup sur la joue donné avec la main.

Je me retourne vers le vieux qui est terrorisé. *Je sais ce que tu penses, Mancelier. J'entends encore tes paroles : « les salauds de youpins ». Eh bien, tu vois, t'en avais un chez toi de youpin, et le plus fort de tout, c'est que c'est un youpin qui va te sauver ta peau.*

– Bien sûr qu'il le savait !

Je m'en vais. Ils ne le tuent pas. Ils l'amènent à la prison d'Annecy avec sa femme. Quand il monte dans le camion, il tremble de tous ses membres, mais moi seul connais la cause réelle de son tremblement : devoir sa peau à un Juif, c'est le genre de chose qu'il ne peut pas avaler[6].

Me voilà patron de la librairie. Je vends des tas de journaux à présent, des tout nouveaux qui sortent chaque jour. Tout d'un coup, un matin, sur tous mes journaux, des lettres énormes sur toute une page :

PARIS LIBÉRÉ

Je fonce dans l'escalier, me voilà dans ma chambre. Sous le lit, la musette est là et je sais que c'est la dernière fois que je la prends. Je marche vite vers la gare quand je suis arrêté par un groupe de F.F.I.

– Où vas-tu ?

– Ben, chez moi, à Paris.

– Tu ne peux pas partir ! dit l'un d'eux. Nous sommes encore en temps de guerre et tu es responsable de la circulation des nouvelles dans le village.

– Ça fait trois ans que je suis parti de chez moi, qu'on est tous séparés. Aujourd'hui, je peux rentrer, je rentre et c'est tout.

Arrive alors leur chef, je le reconnais : c'est M. Jean. Il sourit.

---

6. avaler : accepter, supporter (en langage familier).

– Qu'est-ce qui se passe ? Je connais ce garçon.

On lui explique la situation.

– Qu'on laisse ce garçon rentrer chez lui, ordonne-t-il.

Sur le quai de la gare, il y a dix millions de personnes. Et Maurice ? Pendant que moi, je suis dans le train le plus rempli du monde, mon frère préfère la route au rail : un ami de son patron possède une voiture mais n'a pas d'essence. Maurice descend à la cave, trouve une bouteille de vieux cognac, en remplit dix-neuf autres de thé léger pour obtenir la couleur et fait goûter la bonne à un sergent contre cinq jerrycans d'essence. C'est suffisant pour le trajet Rumilly-Paris.

* * *

« Joffo – Coiffeur ». Les mêmes lettres bien écrites. Trois ans plus tôt, je suis parti, aujourd'hui je reviens. J'ai toujours ma musette, je la porte avec plus de facilité qu'autrefois, j'ai grandi. Derrière la vitrine, malgré les reflets, j'aperçois Albert et Henri. Je vois aussi maman. Je vois aussi que papa n'est plus là, je comprends qu'il n'y sera jamais plus… C'en est fini des belles histoires contées le soir. Je me vois aussi dans la vitrine avec ma musette. C'est vrai, j'ai grandi.

RÉFLEXION

1. **Joseph a traversé de nombreuses épreuves : l'étoile jaune à l'école, le départ de Paris sans ses parents, le contrôle de la police allemande dans le train, le passage de la ligne de démarcation, l'arrestation de rue de Russie, la Gestapo à l'hôtel Excelsior, la fuite de nuit de Moisson Nouvelle, la vie chez Mancelier. Quelle est celle qui t'a semblé la plus difficile ?**

Après la lecture • page 82
Valeurs et sentiments • page 94

▶ Anne Frank.

La folie des hommes vue à travers les yeux d'un enfant

Voici d'autres livres qui racontent des moments terribles de l'Histoire vus à travers les yeux d'un enfant.

Journal *d'Anne Frank*

En juin 1942, pour échapper aux nazis, la jeune Anne, treize ans, sa famille et quatre autres Juifs se cachent dans un grenier d'une maison d'Amsterdam. La jeune fille raconte dans un cahier ses espoirs, ses angoisses et la vie de ses compagnons.

Mais le 4 août 1944, la police allemande découvre la porte secrète cachée par une armoire et arrête les huit occupants. Anne va mourir dans le camp de Bergen-Belsen au début de l'année 1945.

Après leur arrestation, un homme récupère le cahier. En 1947, le père d'Anne, seul survivant de la famille, publie le livre. Rédigé en hollandais, le *Journal* d'Anne Frank est aujourd'hui traduit dans plus de 60 langues dans le monde.

Les Pierres crieront *de Molyda Szymusiak*

Le 17 avril 1975, les Khmers rouges[1] envahissent Phnom Penh, la capitale du Cambodge.

Molyda, douze ans, et toute sa famille sont déportés dans des camps de travail à la campagne.

Pendant quatre années, la jeune fille va subir la violence, la cruauté, le travail forcé et les humiliations imposés par les nouveaux maîtres du pays.

Molyda raconte les journées qui n'en finissent pas car tout le monde a faim, a peur. Elle raconte aussi comment meurent, les uns après les autres, tous les siens.

Unique survivante de sa famille, Molyda va trouver refuge en France où elle va être adoptée.

Publié en 1984, *Les Pierres crieront* est traduit en plusieurs langues et connaît un grand succès en France, aux États-Unis, en Grande-Bretagne et en Italie.

---

1. les Khmers rouges : le régime militaire cambodgien qui a mené une politique d'extermination.

▶ Des Khmers rouges (Cambodge).

▶ Ahmadou Kourouma.

Allah n'est pas obligé *d'Ahmadou Kourouma*

Dans cette œuvre de fiction, le romancier ivoirien Ahmadou Kourouma se met dans la peau d'un orphelin[2] d'une douzaine d'années, Birahima, confronté aux guerres civiles de l'Afrique de l'Ouest. Le récit est écrit à la première personne.

Au cours des années quatre-vingt du XXe siècle, Birahima part à la recherche de sa tante et traverse des pays en guerre. Mais il tombe aux mains des groupes armés du Libéria puis de la Sierra Leone. Enfant soldat, il va se montrer impitoyable[3].

Le jeune garçon raconte la guerre avec ses propres mots et explique même les expressions trop compliquées avec ses dictionnaires. Publié en 2000, le roman est immédiatement récompensé par de grands prix littéraires.

---

2. **un orphelin :** un enfant dont les parents sont morts.
3. **impitoyable :** cruel et sans pitié.

1 Dis si les affirmations sont vraies (V) ou fausses (F), puis corrige les fausses.

	V	F
1. Le *Journal* d'Anne Frank est rédigé à Amsterdam.	☐	☐
2. La police allemande arrête Anne Frank dans la rue.	☐	☐
3. Le père d'Anne Frank est le seul survivant de la famille.	☐	☐
4. Phnom Penh est la capitale du Cambodge.	☐	☐
5. Molyda fait partie des Khmers rouges.	☐	☐
6. Molyda est adoptée par une famille en France.	☐	☐
7. Ahmadou Kourouma est un écrivain sierra-léonais.	☐	☐
8. Birahima est le narrateur d'*Allah n'est pas obligé*.	☐	☐

2 Choisis la fin de phrase correcte.

1. Anne Frank et sa famille se cachent pour
- **a** ☐ ne pas faire la guerre.
- **b** ☐ échapper aux nazis.

2. La porte secrète de la cache d'Anne Frank est
- **a** ☐ derrière une armoire sous les toits.
- **b** ☐ au fond de la cave.

3. Molyda et sa famille sont déportés
- **a** ☐ à la campagne.
- **b** ☐ en ville.

4. Molyda trouve refuge
- **a** ☐ en France.
- **b** ☐ en Chine.

5. *Allah n'est pas obligé* est une histoire
- **a** ☐ vraie.
- **b** ☐ inventée.

6. Le jeune Birahima part à la recherche de
- **a** ☐ sa tante.
- **b** ☐ sa mère.

VIDÉO

Conversation avec Joseph Joffo

*Le 15 février 2018, nous avons eu le plaisir de rencontrer monsieur Joffo dans son appartement de Cannes. Il a eu l'amabilité de répondre à nos questions pour cette édition d'*Un sac de billes*.*

Pourquoi avez-vous écrit *Un sac de billes* ?

Je m'étais blessé au ski et je m'ennuyais à mourir. Et puis mes enfants me demandaient toujours pourquoi ils n'avaient pas de grand-père, j'en avais marre[1] de raconter ma vie. Alors, je me suis mis à écrire.

Quel est le message d'*Un sac de billes* ?

Ce livre n'est pas une tragédie, c'est une histoire d'amour entre deux frères. Souvent, je demande à mon frère : « Maurice, pourquoi

---

1. en avoir marre : ne plus supporter quelque chose (en langage familier).

es-tu venu me rechercher à l'hôtel Excelsior ? Pourquoi as-tu risqué ta vie ? ». À chaque fois, il éclate de rire : « Jo, je n'aurais jamais pu vivre sans mon petit frère ». Et j'ajoute : « Et moi, tu crois que j'aurais pu vivre sans mon grand frère ? ». Si vous avez des frères et sœurs, prenez exemple sur Maurice et Jo !

Connaissez-vous vos jeunes lecteurs ?

Oui, je suis souvent invité dans les collèges pour rencontrer les élèves et répondre à leurs questions.

Vous avez eu peur pendant ces années de guerre ?

Quand je suis rentré après Maurice et Ferdinand dans la souricière de la rue de Russie et cet énorme S.S. m'a braqué avec sa mitraillette, je ne voyais que le trou noir du canon de son fusil. Cet homme n'avait qu'à appuyer sur la détente de son arme pour me tuer. Ça a été la plus grande peur de ma vie. Je ne voulais pas mourir.

Comment vos parents ont-ils pu vous laisser partir seuls, Maurice et vous ?

C'est un crève-cœur[2] pour des parents de savoir ses enfants seuls sur la

---

2. un crève-cœur : une très grande peine, une immense tristesse.

route. Mais mes parents avaient déjà vécu une expérience aussi dramatique. Ma mère était restée toute seule à l'âge de douze ans. Mes parents savaient que la seule solution était de nous séparer.

Qu'est-il arrivé à votre père ?

Mon père s'était cassé la jambe à Nice. Il marchait très mal. Il a d'abord été envoyé au camp de Drancy, puis ils l'ont fait monter dans un convoi pour Auschwitz. Quand il est arrivé dans le camp, il n'était pas en état de travailler et ils l'ont gazé immédiatement.

---

1 Dis si les affirmations sont vraies (V) ou fausses (F), puis corrige les fausses.

	V	F
1. Les enfants de Joseph Joffo voulaient savoir pourquoi ils ne connaissaient pas leur grand-mère.	☐	☐
2. Le message d'*Un sac de bille* est un message d'amour.	☐	☐
3. Joseph Joffo est souvent invité dans les collèges.	☐	☐
4. Joseph n'a pas eu peur face au S.S. de la rue de Russie.	☐	☐
5. La mère de Joseph Joffo s'est retrouvée seule à l'âge de douze ans.	☐	☐
6. Le père de Joseph est mort à Auschwitz.	☐	☐

Un sac de billes au cinéma

En 2017, le réalisateur Christian Duguay adapte le roman de Joseph Joffo. Ce dernier participe même à l'écriture du scénario[1], pour son plus grand plaisir.

Avant le tournage, Joffo rencontre et discute avec la comédienne Elsa Zylberstein pour qu'elle joue au mieux le rôle de sa mère.

Les deux jeunes qui jouent Joseph et Maurice, Dorian Le Clech et Batyste Fleurial Palmieri, sont choisis parmi 1500 candidats.

Pendant le tournage, Joseph Joffo se rend sur le plateau[2] à plusieurs reprises. En particulier, ce jour à Nice où l'on reconstitue le siège de la Gestapo : les passants découvrent un drapeau nazi sur la façade de la préfecture, et ceux qui ne savent pas qu'on y tourne un film manquent d'avoir une crise cardiaque !

Dans le film, le personnage du père Joffo, joué par Patrick Bruel, est très présent : c'est grâce à ses conseils que les enfants surpassent tous les dangers.

Par contre, le personnage de Maurice est moins brillant que dans le livre : il n'est plus le gamin filou[3] qui sait bien se débrouiller dans toutes les situations.

Accompagnées par la musique d'Armand Amar, certaines scènes sont bien plus dramatiques : la nuit du passage en zone libre est vraiment angoissante, au fond des bois des Allemands tirent sur les gens qui fuient.

À la fin du film, on découvre Joseph et Maurice, les vrais, aujourd'hui. Ils se serrent les mains et se sourient : *Un sac de billes*, c'est l'histoire d'un amour fraternel éternel !

---

1. un scénario : un document écrit qui raconte l'histoire du film.
2. le plateau : le lieu où l'on tourne un film.
3. filou : se dit d'un enfant intelligent qui n'agit pas toujours de manière légale.

1 Après avoir lu l'histoire, observe la photo 1 et réponds aux questions.

1. De quelle couleur est la veste de Joseph ?
2. Quel est le magasin derrière Joseph et Maurice ?
3. Que cachent les enfants avec leur corps ?
4. Quelle est cette ville ?

2 Après avoir lu l'histoire, observe la photo 2 et réponds aux questions.

1. Quelle est cette gare ?
2. Où sont Joseph et Maurice ?
3. Qui va sauver les enfants du contrôle des soldats allemands ?
4. Est-ce une scène comique ou une scène angoissante ?

Activités

1 Compréhension • Dis si les affirmations sont vraies (V) ou fausses (F).

	V	F

1. La Porte de Clignancourt est un quartier de Paris. ☐☐
2. Joseph a douze ans. ☐☐
3. La famille Joffo tient un salon de coiffure. ☐☐
4. Il y a du monde dans le salon de coiffure parce que c'est l'heure de pointe. ☐☐
5. Albert et Henri sont les frères aînés de Joseph. ☐☐
6. Les S.S. sont des soldats français. ☐☐
7. Les S.S. rentrent dans le salon de coiffure parce qu'il est tenu par des Juifs. ☐☐
8. Les S.S. se font couper les cheveux très courts. ☐☐

2 Compréhension • Complète les phrases avec le mot correct.

> accent   sécurité   tête de mort   Égalité   pogromes
> courageux   racistes   pancarte

1. De nombreux Juifs ont fui les pays de l'Empire russe à cause des ....
2. Quand ils entrent dans le salon, les Allemands ne voient pas la .... noire et jaune.
3. Les S.S. portent un insigne de .... sur leur casquette.
4. Certaines personnes du quartier parlent français avec un .... parce qu'elles viennent de l'Est.
5. Les S.S. sont .... parce qu'il disent que le problème, ce sont les Juifs.
6. Le père de Joseph est .... parce qu'il dit aux S.S. qu'il est juif.
7. Sur les mairies françaises, il est écrit : « Liberté, ..., Fraternité ».
8. Le père de Joseph se sent en .... en France.

3 Compréhension • Réponds aux questions.

1. Pourquoi Joseph et Maurice rient-ils devant la vitrine du salon de coiffure ?
2. Est-ce amusant de voir des S.S. rentrer dans un magasin juif ?
3. Le père de Joseph a-t-il peur des Allemands ?
4. Comment l'Allemand réagit-il quand le père Joffo lui dit qu'il est juif ?

4 Lexique • Complète les mots.

1. Division administrative d'une grande ville : _ R R _ N D _ S S _ M _ N T.
2. Ceinture de cuir dans laquelle le soldat enfile son arme : C _ _ N T _ R _ N.
3. Partie arrière du cou : N _ Q _ _.
4. Petites canailles : V _ Y _ _ S.
5. Ville russe sur la mer Noire : _ D _ S S _.
6. Bâtiment où dorment les soldats : C _ S _ R N _.
7. Langue des Juifs d'Europe de l'Est : Y _ D D _ S H.
8. Grande pièce de tissu de laine placée sur le lit : C _ _ V _ R T _ R _.

5 Production orale • Joseph et Maurice aiment leur quartier : « c'est un coin rêvé ». Ils jouent aux billes au bord du trottoir et escaladent les poubelles. Raconte ce qui te plaît dans ton quartier.

Par exemple : *J'aime l'endroit où j'habite parce qu'il y a une jolie place où je peux jouer au ballon avec mes amis...*

6 Production écrite • L'histoire que raconte le soir le père de Joseph est une histoire inquiétante, mais les enfants sont fascinés. Et toi, quelle est le genre d'histoires que tu préfères ? Aimes-tu les histoires d'horreur, comiques, d'amour, de voyages ou d'aventure ? Motive ta réponse (60 mots).

Par exemple : *J'aime beaucoup les histoires de voyages parce que je suis très curieux de connaître le monde...*

1 Compréhension • Choisis la bonne réponse.

1. Joseph et Maurice portent une étoile cousue sur leur veste

a ☐ parce que c'est la mode.

b ☐ parce qu'ils sont juifs.

2. Pour M. Boulier, Joseph

a ☐ est devenu invisible.

b ☐ est le meilleur élève.

3. Joseph et Maurice se battent

a ☐ parce qu'on les insulte.

b ☐ parce qu'ils ont perdu des billes.

4. Après l'école, le père veut parler à ses fils

a ☐ parce qu'ils se sont mal conduits.

b ☐ parce qu'il comprend que la matinée s'est mal passée.

5. Joseph et Maurice doivent partir pour rejoindre

a ☐ l'Angleterre.

b ☐ la France libre.

6. Les trains sont remplis de gens qui fuient

a ☐ la France occupée.

b ☐ le mauvais temps.

2 Compréhension • À partir du mois de juin 1942, les Allemands imposent de porter l'étoile jaune à tous les Juifs qui vivent en zone occupée. Face à cette étoile, les réactions des enfants de l'école sont différentes.

1. Pourquoi Zérati est-il émerveillé ?

2. Comment le grand appelle-t-il Joseph ?

3. Comment Zérati défend-il son copain Joseph ?

4. Que fait Maurice pendant la récréation ?

5. Joseph comprend-il le changement d'attitude devant son étoile jaune ?

6. Pourquoi Joseph pense-t-il avoir fait une belle affaire avec Zérati ?

Le futur proche

Oui, les garçons, vous *allez partir*, c'est votre tour.

Le futur proche permet d'exprimer une action qui va se dérouler bientôt dans le temps, dans un avenir très proche. Il se construit avec le verbe **aller** conjugué au *présent de l'indicatif* et suivi d'un **infinitif**.

• La conjugaison du verbe **aller** au présent de l'indicatif est la suivante:

Je vais	Nous allons
Tu vas	Vous allez
Il / elle / on va	Ils / elles vont

3 Grammaire • Complète les phrases avec le futur proche des verbes indiqués.

1. Pour venir à Paris, vous .... (*prendre*) le train.

2. Pour éviter l'heure de pointe dans le métro, je .... (*partir*) plus tôt.

3. Comme tous les jours, l'instituteur .... (*interroger*) un élève.

4. Tu t'entraînes tous les jours, tu .... (*devenir*) un champion.

5. Mercredi prochain, elles .... (*assister*) à l'avant-première du spectacle.

6. Tu es fatigué. Ce soir, tu .... (*se coucher*) tôt.

7. Les garçons qui ont dix-huit ans .... (*devoir*) s'engager dans l'armée.

8. Il n'y a plus de douaniers, vous .... (*passer*) la frontière sans problèmes.

9. Elle ne se soigne pas bien, sa blessure .... (*s'infecter*).

10. Nous avons beaucoup de champignons, on .... (*pouvoir*) faire une omelette.

4 Production orale • As-tu déjà été témoin d'attitudes racistes? Discute avec tes camarades pour répondre aux questions.

1. Quels sont les sentiments éprouvés par les victimes d'actes racistes? (Par exemple: rage, tristesse, etc.)

2. À qui peut-on demander de l'aide en cas d'acte raciste? (Par exemple: famille, professeurs, police, etc.)

3. Quelle est la bonne conduite à tenir face à une personne différente de soi?

1 Compréhension • Remets les phrases dans l'ordre chronologique de l'histoire.

a ☐ Le curé dit que les enfants sont avec lui.

b ☐ Raymond, Joseph et Maurice avancent dans la forêt.

c ☐ Les garçons arrivent à la ferme en zone libre.

d ☐ Maurice repasse huit fois la ligne et ramène quarante personnes.

e ☐ Les garçons prennent l'autocar pour Hagetmau.

f ☐ Les soldats allemands contrôlent les voyageurs en gare de Dax.

g ☐ Joseph s'endort sur une botte de paille.

h ☐ Joseph et Maurice font la connaissance de Raymond.

2 Compréhension • Réponds aux questions.

1. Pourquoi les voyageurs ont-ils sauté du train en marche ?

2. Pourquoi le curé a-t-il maigri ?

3. Pourquoi Joseph et Maurice donnent-ils un faux nom au curé ?

4. Qui sont les gens qui remplissent le café-restaurant de Hagetmau ?

5. Combien coûte le passage de la ligne par le père Bédard ?

6. Combien coûte le passage de la ligne par Raymond ?

7. Comment réagit Joseph lors de la marche de nuit dans la forêt ?

8. Maurice a-t-il eu peur de se faire prendre en repassant huit fois la ligne ?

3 Lexique • Complète les définitions.

1. Manteau pour la pluie : _ M P _ R M _ _ B L _ .

2. Tranches de pain renfermant du jambon ou du fromage : S _ N D W _ C H .

3. Ligne qui sépare deux territoires : F R _ N T _ _ R _ .

4. Information donnée sur quelque chose : R _ N S _ _ G N _ M _ N T .

5. Lampe à très forte lumière : P R _ J _ C T _ _ R .

6. Sale, repoussant moralement : D _ G _ _ _ L _ S S _ .

Le passé composé avec l'auxiliaire *avoir*

J'*ai refait* le trajet en sens inverse.

Le passé composé exprime une action ou un fait qui a déjà eu lieu au moment où l'on s'exprime. Il est formé de deux éléments: l'auxiliaire **avoir** ou **être** au *présent de l'indicatif* suivi du **participe passé** du verbe.

Je **suis parti** *dans la nuit.*

Attention Avec l'auxiliaire **avoir**, le participe passé **ne s'accorde pas** avec le sujet.

il a gagné, elle a gagné, ils ont gagné, elles ont gagné

- En général, on emploie l'auxiliaire *avoir*, **sauf** avec:
  - les **verbes de mouvement** (*aller, venir, sortir, entrer*, etc.),
  - les **verbes pronominaux** (*se laver, s'habiller*, etc.)
  - certains autres verbes (*naître, mourir, rester, devenir, apparaître, intervenir*).

Dans ces cas-là c'est l'auxiliaire **être** qui est employé.

Je **suis né** *à Paris.*

- La **forme négative** du verbe au passé composé suit ce schéma: **ne (n'** devant une voyelle ou un h muet) + **auxiliaire** + **pas** + **participe passé**.

Je **n'ai pas volé** *d'argent.*

4 Grammaire • Complète les phrases avec le passé composé des verbes indiqués.

1. Ils .... (*éviter*) le contrôle des soldats.

2. Nous .... (*marcher*) dans la forêt.

3. J'......................... (*suer*) à grosses gouttes sous mon manteau.

4. Ils .... (*prendre*) l'autocar.

5. Vous .... (*voir*) les Allemands arrêter des gens.

6. Tu .... (*dormir*) dans la grange.

7. Il .... (*travailler*) toute la nuit.

8. Tu .... (*avoir*) peur d'être pris.

1 Compréhension • Dis si les affirmations sont vraies (V) ou fausses (F).

		V	F
1.	En zone libre, les gendarmes aussi ont l'ordre d'arrêter les Juifs.	☐	☐
2.	Joseph et Maurice retrouvent leurs frères, Henri et Albert, à Marseille.	☐	☐
3.	Joseph ne sait pas cuisiner.	☐	☐
4.	Les parents ont été arrêtés lors d'une rafle à Paris.	☐	☐
5.	Joseph et Maurice retournent à l'école à Menton.	☐	☐
6.	Henri est parti à Pau pour faire libérer les parents.	☐	☐
7.	Grâce à ses talents de coiffeur, Henri obtient un entretien avec le colonel.	☐	☐
8.	Joseph et Maurice sont convoqués pour le Service de Travail Obligatoire.	☐	☐

2 Compréhension • Associe chaque début de phrase avec sa suite.

1. Henri montre une lettre tamponnée avec des aigles

2. «Il y a toujours quelque chose à tenter», dit Albert avec un pauvre sourire

3. «Ils sont libres», annonce Henri le visage rayonnant

4. Maurice et Joseph ne veulent pas retourner à l'école, mais il n'est pas question de refuser

5. Quand le colonel téléphone, Henri fait semblant d'être le plus tranquille du monde

a ☐ parce qu'il a réussi faire libérer les parents.

b ☐ parce que les parents ont déjà suffisamment de problèmes.

c ☐ parce qu'elle est passée par le service postal allemand.

d ☐ mais en fait, il est très inquiet et risque même d'être arrêté lui aussi.

e ☐ parce qu'il a un peu peur pour Henri.

3 Compréhension • Complète les phrases avec le mot correct.

forts   Nice   Marseille   Menton   rafle   préfecture de police

1. .... est une belle ville méditerranéenne, sa gare s'appelle Saint-Charles.

2. .... est une charmante ville méditerranéenne qui semble italienne.

3. Les parents de Joseph ont échappé à une .... à Paris.

4. À l'école, Joseph et Maurice sont les plus.................... aux billes.

5. Henri propose au colonel d'appeler la ....

6. Joseph est content de partir à.................... parce qu'il va revoir ses parents.

Il faut + infinitif

Qu'est qu'*il faut faire* ? je demande.

Il faut suivi d'un verbe à l'**infinitif** indique une **nécessité**, une **obligation**.
Il faut aller à Pau pour essayer de libérer les parents.
Dans sa forme négative, *il ne faut pas* exprime une **interdiction**.
Il ne faut pas avouer que vous êtes juifs.

4 Grammaire • Complète les phrases avec *il faut* à la forme affirmative (obligation) ou négative (interdiction).

1. Quand on a la fièvre, ... rester au lit.

2. Si tu veux réussir tes examens, ... te coucher trop tard.

3. Pour être électeur........................ avoir au moins dix-huit ans.

4. Pour conduire........................ boire d'alcool.

5. Si tu veux étudier à l'université, ... passer ton bac.

6. .... marcher dans la boue si tu ne veux pas salir tes chaussures.

5 Production écrite • Ces quatre mois à Menton semblent des vacances pour Joseph et Maurice qui goûtent à la liberté. Raconte ce que représente pour toi le moment des vacances (60 mots).

Par exemple : *J'aime beaucoup les vacances parce que...*

1 Compréhension • Choisis la bonne réponse.

1. Au début du chapitre, la guerre semble bien loin

   a ☐ parce qu'elle a lieu sur un autre continent.

   b ☐ parce que les Italiens n'oppriment pas la population.

2. Le directeur fait chanter aux enfants

   a ☐ l'hymne national français.

   b ☐ des chants folkloriques niçois.

3. Radio Londres diffuse des informations

   a ☐ pour la Résistance.

   b ☐ allemandes.

4. Le 10 septembre 1943, les Allemands

   a ☐ désertent Nice.

   b ☐ occupent Nice.

5. Henri et Albert partent à

   a ☐ Vichy.

   b ☐ Aix-les-Bains.

6. Le directeur de Moisson Nouvelle protège

   a ☐ secrètement de jeunes Juifs.

   b ☐ la nature.

2 Compréhension • Associe chaque début de phrase avec sa suite.

1. Les soldats italiens ne font pas peur,

2. Le père annonce qu'il faut quitter Nice,

3. Joseph et Maurice sont en sécurité au camp Moisson Nouvelle,

4. Maurice prétend qu'il ne connaît personne à Nice,

   a ☐ parce que les Allemands sont arrivés et font la chasse aux Juifs.

   b ☐ parce qu'il ne veut pas dire que ses parents y vivent.

   c ☐ il y en a même un qui monte la garde avec sa mandoline.

   d ☐ parce qu'officiellement c'est un camp pour la jeunesse pétainiste.

3 Compréhension • «Ce n'est pas à un vieux singe que l'on apprend à faire des grimaces». C'est par ce proverbe que le père rassure ses enfants. Retrouve la définition de chaque proverbe ci-dessous, puis trouve celui qui correspond à la tactique de monsieur Joffo quand il sépare ses enfants en plusieurs groupes pour prendre moins de risques.

1. «Au royaume des aveugles, les borgnes sont rois.»
2. «Il faut battre le fer tant qu'il est chaud.»
3. «Il ne faut pas mettre tous ses œufs dans le même panier.»

a ☐ Il faut profiter d'une occasion favorable sans attendre.
b ☐ Il ne faut pas tout risquer sur un projet unique.
c ☐ Au milieu de personnes stupides, celui qui possède un petit savoir passe pour un génie.

La tactique de monsieur Joffo correspond au proverbe ....

4 Lexique • **Associe chaque mot à son contraire.**

1. la victoire
2. la rentrée
3. déserter
4. l'intensification
5. un résistant
6. relâcher

a ☐ s'engager
b ☐ enfermer
c ☐ un collaborateur
d ☐ la défaite
e ☐ les vacances
f ☐ l'allégement

5 Production orale • **Que risquent Joseph, Maurice et Ferdinand en arrivant au siège de la Gestapo ? Discute-en avec tes copains. Tu peux faire des recherches sur la «déportation» et les «camps d'extermination».**

1 Compréhension • Remets les phrases dans l'ordre chronologique de l'histoire.

a ☐ Maurice sort de l'hôtel et va voir le curé.

b ☐ Jean arrive un vendredi matin à l'hôtel Excelsior.

c ☐ Le docteur examine Joseph et Maurice.

d ☐ Les Allemands tendent un piège dans le potager.

e ☐ Joseph, Maurice et Ferdinand arrivent à l'hôtel Excelsior un vendredi en fin d'après-midi.

f ☐ Joseph et Maurice sont libérés.

g ☐ Ferdinand reçoit un ticket vert.

h ☐ Le curé revient trois jours de suite à l'hôtel.

2 Compréhension • Réponds aux questions.

1. Que se passe-t-il tous les vendredis à dix-huit heures dans le hall de l'hôtel Excelsior ?

2. Qu'est-ce que le ticket vert ?

3. Que se passe-t-il la nuit dans les caves de l'hôtel Excelsior ?

4. Pourquoi le curé fait-il des certificats de communion ?

5. Que ce serait-il passé si Joseph et Maurice étaient sortis du potager ?

6. Pourquoi dit-on que le curé est têtu ?

3 Enfance et réalité • Les lecteurs de Joseph Joffo lui demandent souvent ce qu'il a ressenti à l'hôtel Excelsior. Voici ce qu'il répond. Complète le texte avec les mots ci-dessous.

maladie   dentiste   couloirs   prix   bourreaux   jours

« Au bout de quelques (**1**)............... à l'hôtel Excelsior, je m'étais habitué à voir les S.S. dans les (**2**)............... . Mais je redoutais beaucoup plus les larmes de mes amis que nos (**3**)............... . Il fallait combattre et résister, peu importe le (**4**)............... . J'ai connu d'autres peurs dans ma vie : la peur du (**5**)..............., la peur de la (**6**)............... (j'ai été gravement malade). Mais ces peurs n'ont rien à voir avec ce que j'ai connu à l'hôtel Excelsior. »

Les réponses courtes

— À vous deux maintenant, vous êtes deux frères ? — *Oui*. Lui c'est Joseph et moi Maurice.
— Et à part ça vous n'êtes pas juifs ! — *Non*, dit Maurice.

- On emploie *oui* pour une **réponse affirmative**.
  Tu aimes le chocolat ? ***Oui*** *(j'aime le chocolat)*.
- On emploie *non* pour une **réponse négative**.
  Tu aimes les champignons ? ***Non*** *(je n'aime pas les champignons)*.
- On emploie *non* pour **approuver une question négative**.
  Tu n'aimes pas les champignons ? ***Non*** *(je n'aime pas les champignons)*.
- On emploie *si* pour **contredire une question négative**.
  Tu n'aimes pas le chocolat ? ***Si*** *(j'aime le chocolat)*.
- On emploie *moi aussi* pour **approuver une phrase affirmative**.
  J'aime la mer, dit l'un. ***Moi aussi*** *(j'aime la mer), répond l'autre.*
- On emploie *moi non plus* pour **approuver une phrase négative**.
  Je n'aime pas avoir froid, dit l'un. ***Moi non plus*** *(je n'aime pas avoir froid), répond l'autre.*
- On emploie *moi si* pour **contredire une phrase négative**.
  Je n'aime pas les champignons, dit l'un. ***Moi si*** *(j'aime les champignons), dit l'autre.*
- On emploie *moi non* pour **contredire une phrase affirmative**.
  J'aime les champignons, dit l'un. ***Moi non*** *(je n'aime pas les champignons), dit l'autre.*

4 Grammaire • Tu as une sœur, tu n'as pas de frère, tu aimes les fraises et tu n'aimes pas le citron. Coche la bonne case pour répondre aux questions.

	oui	non	si	moi aussi	moi non plus	moi si	moi non
Tu n'as pas de sœur ?							
Est-ce que tu as un frère ?							
Est-ce que tu as une sœur ?							
Je n'aime pas le citron.							
J'aime les fraises.							
Je n'ai pas de sœur.							
J'aime le citron.							

1 Compréhension • Dis si les affirmations sont vraies (V) ou fausses (F).

		V	F
1.	Le père de Joseph a été arrêté.	☐	☐
2.	Joseph et Maurice s'enfuient du camp sans rien dire au directeur.	☐	☐
3.	Joseph et Maurice sont en sécurité chez Rosette.	☐	☐
4.	Maurice se rend d'abord seul dans le village de Rumilly.	☐	☐
5.	Ambroise Mancelier déteste Joseph.	☐	☐
6.	Les résistants sont cachés dans la montagne.	☐	☐

2 Compréhension • Joseph s'est transformé depuis qu'il a quitté Paris. Raconte la vie de Joseph dans le village de Rumilly.

Par exemple : *Joseph a maintenant douze ans et il est amoureux d'une fille...*

Les pronoms relatifs simples *qui, que, dont* et *où*

C'est Subinagui *qui* parle tout doucement.

Les pronoms relatifs représentent le groupe nominal qui les précède.

- Le pronom relatif *qui* a une fonction de **sujet**. *Qui* ne prend jamais d'apostrophe.
  *Il travaille avec un serveur **qui** est de la Résistance.*

- Le pronom relatif *que* a une fonction de complément d'**objet direct**. *Que* répond à la question « Qui ? » ou « Quoi ? ». *Que* prend une apostrophe (*qu'*) devant une voyelle ou un h muet.
  *Mancelier est le libraire **que** j'aide (« J'aide qui ? »).*
  *L'histoire est la matière **qu'**elle préfère (« Elle préfère quoi ? »).*

- Le pronom relatif *où* a une fonction de **complément circonstanciel de lieu**, et parfois **de temps**.
  *Maurice part pour Rumilly **où** un ami lui donne du travail.*
  *C'est l'hiver **où** les Allemands ont attaqué.*

- Le pronom relatif *dont* a une fonction de **complément d'objet indirect**. *Dont* répond à la question « De qui ? » ou « De quoi ? ».
  *Voici l'ami **dont** je t'ai parlé (« Je t'ai parlé de qui ? »).*
  *J'ai lu le livre **dont** on dit du bien (« On dit du bien de quoi ? »).*

3 Grammaire • Choisis le pronom relatif correct.

1. J'ai écouté le disque .... tu préfères.
2. Je vais surfer sur les plages .... il y a les meilleures vagues.
3. C'est un garçon .... est très intelligent.
4. Je n'ai jamais aimé les films .... on parle à la télévision.
5. Je l'ai vu avec un chien .... aboie tout le temps.
6. Je vais lire le livre .... tu me conseilles.
7. C'est le circuit .... il a gagné plusieurs fois.
8. Elle choisit les restaurants .... on dit du bien.

4 Lexique • Remplis la grille grâce aux définitions.

1. Croire quelqu'un coupable de quelque chose.
2. État d'esprit de quelqu'un qui n'a pas confiance.
3. Local où se tient un commerce, un magasin.
4. Personnes croyantes qui suivent les rites de la religion.
5. Fait d'établir des relations entre diverses personnes.
6. Employé d'une étude notariale.

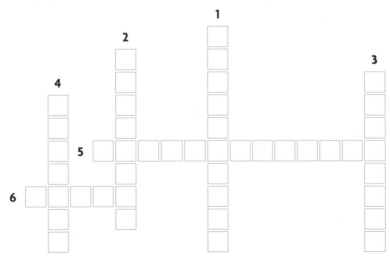

1 Compréhension • Choisis la bonne réponse.

1. Le père Mancelier est très inquiet parce que

   a ☐ les gens font des blagues le 1er avril.

   b ☐ les Alliés gagnent des batailles contre les Allemands.

2. Les miliciens poursuivent

   a ☐ les résistants.

   b ☐ les sangliers.

3. La 6 juin 1944, les Alliés débarquent

   a ☐ en Normandie.

   b ☐ à New York.

4. Le 8 juillet 1944, le village de Rumilly est

   a ☐ incendié.

   b ☐ libéré.

5. Le vieux Mancelier est sauvé grâce à

   a ☐ sa fille.

   b ☐ Joseph.

6. Les F.F.I. ne veulent pas laisser partir Joseph à Paris parce qu'il

   a ☐ s'occupe de la distribution des journaux.

   b ☐ est coupable de collaboration.

7. Maurice rentre à Paris en

   a ☐ train.

   b ☐ voiture.

8. À Paris, Joseph retrouve toute sa famille

   a ☐ en entier.

   b ☐ sauf son père.

2 Compréhension • Choisis la bonne réponse. Attention, certaines questions peuvent avoir plusieurs réponses, d'autres aucune.

1. Pourquoi est-ce que l'homme de l'hôtel du Commerce choisit Joseph pour lui confier sa lettre ?

   a ☐ Parce qu'il sait qu'il est juif et donc pour la Résistance.

   b ☐ Parce que c'est un enfant et que les miliciens ne le soupçonneront pas.

2. Pourquoi les miliciens ne vont-ils pas au café du Cheval-Blanc ?

   a ☐ Parce qu'il est trop éloigné du centre.

   b ☐ Parce qu'ils n'aiment pas le vin de Maryse.

3. Qu'est qu'un «résistant de la dernière minute» ?

   a ☐ Quelqu'un qui s'est engagé au dernier moment quand il n'y avait plus de danger.

   b ☐ Un résistant qui sauve les gens même quand on pense que c'est trop tard.

4. Selon toi, pourquoi Joseph sauve-t-il Mancelier ?

   a ☐ Parce qu'il a bon cœur et ne veut pas voir tuer celui avec qui il a vécu plusieurs mois.

   b ☐ Parce qu'il sait que Mancelier va souffrir moralement de se savoir sauvé par un Juif.

---

3 Lexique • Complète la fin de l'histoire avec les mots ci-dessous.

> musette (× 2)   papa   histoires   Albert et Henri
> reflets   lettres   grandi (× 2)   ans

«Joffo – Coiffeur». Les mêmes **(1)** .... bien écrites. Trois **(2)** .... plus tôt, je suis parti, aujourd'hui je reviens. J'ai toujours ma **(3)** ...., je la porte avec plus de facilité qu'autrefois, j'ai **(4)** .... Derrière la vitrine, malgré les **(5)** ...., j'aperçois **(6)** .... Je vois aussi maman. Je vois aussi que **(7)** .... n'est plus là, je comprends qu'il n'y sera jamais plus... C'en est fini des belles **(8)** .... contées le soir. Je me vois aussi dans la vitrine avec ma **(9)** .... C'est vrai, j'ai **(10)** ....

piste 10

1 Écoute l'extrait de ce discours diffusé à la radio le 18 juin 1940. Connu aujourd'hui comme «L'Appel du 18 juin», c'est l'un des actes fondateurs de la Résistance française.

    1. Qui parle?

    2. Que répète-t-il trois fois de suite?

    3. Quels pays nomme-t-il?

    4. Où se trouve-t-il?

    5. À qui s'adresse cet appel?

    6. Où parlera-t-il le lendemain?

piste 10

2 Réécoute l'enregistrement et choisis la bonne expression dans chaque phrase.

    1. Je dis que *tout est / rien n'est* perdu pour la France.

    2. Cette guerre n'est pas limitée au territoire *malheureux / ensoleillé* de notre pays.

    3. Il y a, dans l'univers, tous les moyens nécessaires pour *détruire / rencontrer* un jour nos ennemis.

    4. Quoi qu'il arrive, la *force / flamme* de la Résistance française ne doit pas s'éteindre et ne s'éteindra pas.

piste 10

3 Réécoute l'enregistrement et classe les phrases dans le bon ordre chronologique.

    a ☐ Il parlera encore à la radio.

    b ☐ Il dit que cette guerre est mondiale.

    c ☐ Il dit que la France peut compter sur l'Angleterre et sur les États-Unis.

    d ☐ Il invite les militaires français et les spécialistes de l'armement à le rejoindre.

    e ☐ Il dit que la France n'est pas seule.

    f ☐ Il affirme que rien n'est perdu pour la France.

4 Tu vas entendre l'enregistrement d'un extrait du discours du Président de la République française, Jacques Chirac. Le 18 janvier 2007, il rendait hommage aux Justes, ces Français qui ont sauvé des Juifs pendant la guerre. Écoute-le attentivement, plusieurs fois si tu veux, et complète les phrases avec les mots qui manquent.

piste 11

Voilà soixante-cinq ans, en France, il y a la honte de l'**(1)** .... jaune, la honte des rafles et la honte des convois de déportation. Il y a les ténèbres. Mais il y a aussi la **(2)** .... La France est affamée, terrorisée, coupée en deux par la **(3)** .... de démarcation. Mais très vite, des voix s'élèvent. Des Françaises et des Français en très grand nombre accueillent, cachent et sauvent des **(4)** ...., des femmes, des hommes, persécutés parce qu'ils sont juifs. Tous connaissaient les **(5)** .... : l'arrivée brutale de la Gestapo, l'interrogatoire, la **(6)** ...., et parfois même, la déportation et la mort. À ceux qui s'interrogent sur ce que sont les valeurs universelles de la **(7)** ...., vous, les Justes, avez apporté la plus magnifique des réponses, au moment le plus noir de notre histoire. Au nom de la France, au nom de la **(8)** .... tout entière, je m'incline aujourd'hui devant vous avec respect et reconnaissance.

5 Réécoute l'enregistrement et dis si les affirmations sont vraies (V) ou fausses (F).

piste 11

		V	F
1.	L'étoile jaune est une honte pour la France.	☐	☐
2.	Les Français et les Françaises qui sauvent des enfants représentent les ténèbres.	☐	☐
3.	Les gens qui cachent des Juifs risquent d'être déportés.	☐	☐
4.	L'Occupation est le moment le plus noir de l'histoire de France.	☐	☐
5.	Le Président parle en son nom seulement.	☐	☐

SUR LE WEB

Le Mémorial de la Shoah

Le mot *Shoah* signifie «la catastrophe» en hébreu. Ce terme désigne la mise à mort de près de 6 millions de Juifs d'Europe par l'Allemagne nazie et ses collaborateurs pendant la Seconde Guerre mondiale. À Paris, un musée est dédié à cette tragédie.

1 Réponds aux questions.

1. Quand a été créé le Centre de documentation juive contemporaine et dans quel but?

2. Qu'est-ce que le Mur des Noms?

3. Combien de Juifs ont été déportés de France?

4. Qui les a déportés?

5. Combien ont survécu à leur déportation?

6. Qu'est-ce qu'il y a dans l'allée des Justes?

7. Qu'est-ce qu'il y a dans la crypte?

8. Quels sont les noms écrits sur le cylindre de bronze du parvis?

9. À Drancy, en banlieue parisienne, il y a un autre mémorial. Pourquoi?

10. Quand a été inauguré le Mémorial de la Shoah de Drancy?

Charles Trenet

Pendant la guerre, et même après, Charles Trenet est un auteur-compositeur et chanteur français que Joseph Joffo apprécie beaucoup. Le répertoire de cet artiste aux couplets immortels est l'un des plus riches de l'histoire de la chanson française. Du Japon jusqu'aux États-Unis, Charles Trenet a connu un succès planétaire.

1 Réponds aux questions.

1. Trouve les dates et lieux de naissance et de mort de Charles Trenet.
2. Quel est le surnom de Charles Trenet ?
3. Qu'est-ce qui fait son style vestimentaire ?
4. En quelle année a été écrite la chanson *Si tu vas à Paris*, l'une des préférées de Joseph Joffo ?
5. Trouve les paroles de cette chanson et explique pourquoi elle a tant marqué le jeune Joseph.
6. Une chanson, écrite en 1939, a donné lieu à plus de 4000 versions dans toutes les langues. Quel est son titre ?
7. En quelle année se produit-il pour la dernière fois sur scène ?
8. En 1986, un groupe de rock a repris avec succès le morceau *Douce France*. Comment s'appelait-il ?

1 Compréhension écrite • Lis cet article, paru dans un journal francophone, puis réponds aux questions.

LA PASSION POUR LES BILLES N'A PAS D'ÂGE

Rencontré sur le Championnat mondial de billes de Royan, Jean-Pierre Cordier, âgé de 42 ans, nous explique sa passion. Tout petit, déjà dans son village natal de Bretagne, il adorait jouer aux billes avec ses camarades. Arrivé quelques années plus tard à Royan pour le travail, il découvre par la même occasion le Championnat mondial de billes sur sable. « J'ai trouvé ça très intéressant et ce qui m'a surpris c'est l'esprit du championnat, la bonne humeur qui régnait entre les joueurs et sur la plage. » Jean-Pierre s'est donc inscrit en tant que joueur en 2015 et l'année suivante, il devient arbitre pour plus s'investir dans cet événement. « Depuis, j'arbitre l'une des vingt-et-un pistes et je joue avec les adultes. » En tant qu'arbitre, Jean-Pierre doit veiller au bon déroulement des parties. « Les règles sont simples, mais il faut les respecter. Nous devons juste surveiller les 400 joueurs inscrits, qu'il n'y ait pas de triche. »

Jean-Pierre est un joueur calme et observateur, mais n'a jamais gagné le championnat. « Ce n'est pas important pour moi, je suis là comme un enfant, à essayer de m'améliorer, d'être plus performant, à observer les autres joueurs, leur façon de doser leur coup. Le plus important ici, c'est l'état d'esprit, les joueurs se soutiennent et s'encouragent. Les plus compétiteurs, ce sont les enfants. Pour eux, c'est du sérieux. »

Cette année, pour la quinzième édition, les organisateurs ont décidé d'ajouter une nouvelle épreuve, une pesée de billes : ils vont proposer de faire deviner le poids d'un sac de billes aux spectateurs. Le championnat débutera le 7 juillet à 10 heures. La finale aura lieu le 12 juillet à partir de 9 heures et les remises des récompenses le soir à 22 heures après le feu d'artifice.

« Ce championnat de billes sur pistes de sable ne doit jamais cesser. Il est dans le cœur des habitants de Royan. Il est attendu chaque année par tous les Parisiens qui viennent profiter de leurs vacances. C'est un championnat où se mêlent enfants, parents et grands-parents, il ne doit pas disparaître » conclut Jean-Pierre.

1. Où est né Jean-Pierre?
   a ☐ En Bretagne. b ☐ À Paris. c ☐ À Royan.
2. Depuis quand Jean-Pierre est-il arbitre?
   a ☐ 2015. . b ☐ 2016. c ☐ 2017.
3. Combien y a-t-il de pistes?
   a ☐ 12. b ☐ 7. c ☐ 21.
4. Combien y a-t-il de joueurs inscrits?
5. Quelles sont les qualités de Jean-Pierre en tant que joueur?
6. Qui sont les plus compétiteurs?
7. Quelle est la nouveauté de la quinzième édition du championnat?
8. Qu'y a-t-il le soir, avant la remise des récompenses?

---

2 Compréhension écrite • Le salon de coiffure Juffu est très réputé. Tout le monde veut s'y faire couper les cheveux. Joseph, Maurice, Albert, Henri et Rosette ont chacun leurs spécialités. Lis le texte ci-dessous, puis écris le numéro du coiffeur qui correspond à chaque client : à chacun son maestro de la paire de ciseaux !

1. Joseph

Hommes et femmes peuvent lui confier sa nuque. Il a toujours une bonne histoire à raconter. Il est présent au salon du lundi jusqu'au samedi, mais ne travaille que le matin. Il ne s'occupe que des adultes. Il travaille sans rendez-vous.

2. Maurice

Maurice coiffe exclusivement les hommes, sur rendez-vous. C'est aussi un excellent barbier qui taille parfaitement les moustaches. Il travaille de 9h00 à 18h00 du mardi au samedi inclus. C'est aussi un grand bavard.

3. Albert

Sa spécialité, ce sont les coiffures féminines. C'est lui qui se charge des couleurs. Il s'occupe aussi des enfants. Il travaille le matin de 9h00 à 13h00, du lundi au samedi, mais pas le mercredi. Il travaille sur rendez-vous.

4. Henri

Il coiffe indifféremment les hommes et les femmes. Il manie aussi le rasoir pour la barbe et les moustaches. Il ne travaille que l'après-midi, du lundi jusqu'au samedi de 14h00 à 20h00. Il reçoit sans rendez-vous.

5. Rosette

Elle s'occupe des femmes et des enfants, garçons et filles. Elle travaille toute la journée du mardi au samedi de 10h00 à 20h00. Elle est aussi coloriste, spécialiste des teintures. Avec elle, il faut prendre rendez-vous.

Client	Coiffeur/Coiffeuse
A Jules Leroux : cet homme porte de belles moustaches élégantes qu'il fait tailler une fois par semaine. Il est disponible à l'heure du déjeuner le samedi et ne veut pas attendre.	....
B Monique Martin : elle est très coquette. À cinquante-cinq ans, elle a des cheveux blancs qu'elle veut teindre en blond. Elle veut prendre rendez-vous un lundi matin.	....
C Jérôme Levy : ce monsieur à la retraite est au salon tous les lundis matin, sans rendez-vous. Il n'a plus beaucoup de cheveux, mais il vient surtout pour écouter des histoires.	....
D Nicolas Brun : il a dix ans. Il est libre le mardi après son cours de karaté, à 18:00. Pour ne pas attendre, sa mère préfère prendre rendez-vous.	....
E Albertine Verne : elle porte les cheveux courts. Elle est libre à la sortie de son travail, à 19h00. Elle veut venir un jour en semaine, mais sans prendre de rendez-vous.	....

1 Sommaire en images • Remets les dessins dans l'ordre chronologique de l'histoire.

2 Teste ta mémoire ! • Dis si ces affirmations sont vraies (V) ou fausses (F). Si elles sont fausses, corrige-les.

            V F

1. En 1941, Joseph Joffo vit à Paris dans le quartier de la Porte de Clignancourt. ☐ ☐

2. En 1942, tous les enfants des écoles doivent porter une étoile jaune. ☐ ☐

3. Le père envoie Joseph et Maurice dans le Sud pour qu'ils échappent aux discriminations. ☐ ☐

4. Quand ils arrivent à Dax, c'est grâce à un curé qu'ils ne sont pas arrêtés par les Allemands. ☐ ☐

5. Jo et Maurice paient 5000 francs chacun pour passer la ligne de démarcation. ☐ ☐

6. Les parents Joffo sont arrêtés à Pau. ☐ ☐

7. Les Italiens arrêtent les Juifs à Nice. ☐ ☐

8. Maurice et Jo sont arrêtés à Nice lors d'un contrôle de papiers dans la rue. ☐ ☐

9. Maurice et Jo sont interrogés à l'hôtel Excelsior. Ils disent qu'ils sont catholiques. ☐ ☐

10. À Rumilly, Joseph travaille chez un libraire qui est dans la Résistance. ☐ ☐

11. Maurice et Jo rejoignent la Résistance dans la montagne. ☐ ☐

12. Dès qu'il apprend que Paris est libéré, Joseph rentre dans la capitale. ☐ ☐

3 Teste ta mémoire ! • Reconstitue les phrases en plaçant les mots ci-dessous à la bonne place.

> mort   roman   nazis   trente   courage   guerre   frères   juifs

Un Sac de Billes est l'histoire de deux (**1**) .... qui traversent la France et la (**2**) .... pour fuir les (**3**) .... et les collaborateurs qui veulent les arrêter parce qu'ils sont (**4**) .... Ils sont très jeunes, mais grâce à leur (**5**) .... et à leur intelligence, ils vont échapper à la (**6**) .... Ce (**7**) .... est une histoire réelle que Joseph Joffo a écrite (**8**) .... années après l'avoir vécue.

4 Lexique • Remplis la grille de mots croisés grâce aux définitions.

1. Petite canaille, au sens affectueux.
2. Ensemble des courses nécessaires pour nourrir le camp.
3. Lieu retiré dans la nature où se réunissent les résistants.
4. Sac en toile porté en bandoulière.
5. Piège pour arrêter les gens.
6. Attaque contre la communauté juive aux temps de l'Empire russe.
7. Arrestation massive de personnes.
8. Ensemble des forces résistantes.

5 Les sentiments de Joseph • Coche la case qui correspond, selon toi, aux sentiments de Joseph dans chacune de ces situations. Certaines situations peuvent avoir plusieurs réponses.

	Peur	Tristesse	Bonheur	Rire
Les S.S. rentrent dans le salon de coiffure.				
M. Boulier fait comme si Joseph n'existait plus.				
Les Allemands contrôlent le train à Dax.				
Jo e Maurice se promènent à Marseille.				
Jo est arrêté dans l'immeuble de Nice.				
Le père Joffo est arrêté.				
Le journal annonce que Paris est libéré.				
Jo retrouve le salon de coiffure de Paris.				

PERSONNAGES

(1) Choisis les mots dans la bulle pour décrire le caractère de chacun des personnages ci-dessous.

....
....
....

....
....
....

....
....
....

....
....
....

> générosité •
> débrouillardise •
> courage •
> cruauté • rire •
> sagesse •
> racisme •
> méchanceté •
> intelligence

RÉFLEXION

(2) Quels sont les valeurs et les sentiments que t'inspire chaque chapitre ? Choisis un binôme dans la bulle (a-h) et attribue-le à un numéro de chapitre.

> a libération et tristesse   b peur et inconnu   c espoir et frayeur
> d angoisse et terreur   e insouciance et incertitude   f joie et liberté
> g fuite et impatience   h injustice et méchanceté

Chapitre 1-2-3-4 ▶ [........] [........] [........] [........]

Chapitre 5-6-7-8 ▶ [........] [........] [........] [........]

📖 L'HISTOIRE

③ Observe les mots de sentiments et d'idées dans la bulle ci-dessous. Lesquels peux-tu associer avec l'histoire d'*Un sac de billes* ? Classe-les en positifs, négatifs ou parfois négatifs / parfois positifs. Compare tes réponses avec celles de tes camarades et discute avec eux des différences.

> liberté   intolérance   racisme
>
> **rire**   **vie**   peur   **guerre**   ruse
>
> injustice   **courage**   **paix**   lâcheté
>
> solidarité   espoir   cruauté
>
> **famille**   **amour**   risques
>
> fraternité   **horreur**   mort   dénonciation

Positif	Négatif	Positif / Négatif
....	....	....
....	....	....
....	....	....

👉 À TOI

④ Quels sont les sentiments et les valeurs qui comptent le plus pour toi ? Remplis la bulle avec les mots de ces deux pages. Écris-les plus ou moins gros en fonction de l'importance que tu leur accordes. Compare ta bulle avec celles de tes camarades.

Les structures grammaticales employées dans les lectures graduées sont adaptées à chaque niveau de difficulté. Tu peux trouver sur notre site Internet, blackcat-cideb.com, la liste complète des structures utilisées dans la collection.

L'objectif est de permettre au lecteur une approche progressive de la langue étrangère, un maniement plus sûr du lexique et des structures grâce à une lecture guidée et à des exercices qui reprennent les points de grammaire essentiels.

Cette collection de lectures se base sur des standards lexicaux et grammaticaux reconnus au niveau international.

Niveau Deux A2

Adjectifs indéfinis, ordinaux
Adverbes de fréquence, de lieu
Comparatif
Complément du nom
Conditionnel de politesse
Futur proche
Il faut + infinitif
Impératif négatif
Indicatif : passé composé, imparfait, futur
Négation complexe

Participe passé
Passé récent
Prépositions de lieu, de temps
Présent progressif
Pronoms « on », personnels compléments, interrogatifs composés, relatifs simples
Réponses : *oui, si, non, moi aussi, moi non plus*
Verbes pronominaux, indirects
Y / En

Niveau Deux
Si tu as aimé cette lecture, tu peux essayer aussi...

- *Deux ans de vacances*, de Jules Verne
- *Le Petit Prince*, d'Antoine de Saint-Exupéry
- *La guerre des boutons*, de Louis Pergaud

Niveau Trois
...ou tu peux choisir un titre du niveau suivant !

- *Germinal*, d'Émile Zola
- *Les Trois Mousquetaires*, d'Alexandre Dumas père
- *Voyage au centre de la Terre*, de Jules Verne